Coleção Espírito Crítico

AO VENCEDOR
AS BATATAS

Coleção Espírito Crítico

Conselho editorial:
Alfredo Bosi
Antonio Candido
Augusto Massi
Davi Arrigucci Jr.
Flora Süssekind
Gilda de Mello e Souza
Roberto Schwarz

Roberto Schwarz

AO VENCEDOR AS BATATAS

Forma literária e processo social
nos inícios do romance brasileiro

Livraria
Duas Cidades

editora 34

Editora 34 Ltda.
Rua Hungria, 592 Jardim Europa CEP 01455-000
São Paulo - SP Brasil Tel/Fax (11) 3811-6777 www.editora34.com.br

Copyright © Duas Cidades/Editora 34, 2000
Ao vencedor as batatas © Roberto Schwarz, 1977

A fotocópia de qualquer folha deste livro é ilegal e configura uma apropriação indevida dos direitos intelectuais e patrimoniais do autor.

Edição conforme o Acordo Ortográfico da Língua Portuguesa.

Capa, projeto gráfico e editoração eletrônica:
Bracher & Malta Produção Gráfica

Revisão:
Mara Valles, Iracema Alves Lazari, Alexandre Barbosa de Souza

1ª Edição - 2000 (4 Reimpressões),
2ª Edição - 2012 (3ª Reimpressão - 2024)

Catalogação na Fonte do Departamento Nacional do Livro
(Fundação Biblioteca Nacional, RJ, Brasil)

Schwarz, Roberto, 1938-
S5411a   Ao vencedor as batatas: forma literária e processo social nos inícios do romance brasileiro / Roberto Schwarz. — São Paulo: Duas Cidades; Editora 34, 2012 (2ª Edição).
240 p. (Coleção Espírito Crítico)

ISBN 978-85-7326-169-1

1. Alencar, José de, 1829-1877 - Crítica e interpretação. 2. Assis, Machado de, 1839-1908 - Crítica e interpretação. 3. Ficção brasileira - História e crítica. I. Título. II. Série.

CDD - B869.3

Índice

I. As ideias fora do lugar 9

II. A importação do romance
e suas contradições em Alencar 33

III. O paternalismo e a sua racionalização
nos primeiros romances de Machado de Assis
1. Generalidades 83
2. *A mão e a luva* 95
3. *Helena* 117
4. *Iaiá Garcia* 151

Índice onomástico 233
Sobre o autor 235

a Dona Kate

I.
As ideias
fora do lugar

Toda ciência tem princípios, de que deriva o seu sistema. Um dos princípios da Economia Política é o trabalho livre. Ora, no Brasil domina o fato "impolítico e abominável" da escravidão. Este argumento — resumo de um panfleto liberal, contemporâneo de Machado de Assis[1] — põe fora o Brasil do sistema da ciência. Estávamos aquém da realidade a que esta se refere; éramos antes um fato moral, "impolítico e abominável". Grande degradação, considerando-se que a ciência eram as Luzes, o Progresso, a Humanidade etc. Para as artes, Nabuco expressa um sentimento comparável quando protesta contra o assunto escravo no teatro de Alencar: "Se isso ofende o estrangeiro, como não humilha o brasileiro!".[2] Outros autores naturalmente fizeram o raciocínio inverso. Uma vez que não se referem à nossa realidade, ciência econômica e demais ideologias liberais é que são, elas sim, abomináveis, impolíticas e estrangeiras, além de vulneráveis.

---

[1] A. R. de Torres Bandeira, "A liberdade do trabalho e a concorrência, seu efeito, são prejudiciais à classe operária?", *in O Futuro*, nº 9, 15/1/1863. Machado era colaborador constante nesta revista.

[2] *A polêmica Alencar-Nabuco* (organização e introdução de Afrânio Coutinho), Rio de Janeiro, Tempo Brasileiro, 1965, p. 106.

"Antes bons negros da costa da África para felicidade sua e nossa, a despeito de toda a mórbida filantropia britânica, que, esquecida de sua própria casa, deixa morrer de fome o pobre irmão branco, escravo sem senhor que dele se compadeça, e hipócrita ou estólida chora, exposta ao ridículo da verdadeira filantropia, o fado de nosso escravo feliz".[3]

Cada um a seu modo, estes autores refletem a disparidade entre a sociedade brasileira, escravista, e as ideias do liberalismo europeu. Envergonhando a uns, irritando a outros, que insistem na sua hipocrisia, estas ideias — em que gregos e troianos não reconhecem o Brasil — são referências para todos. Sumariamente está montada uma comédia ideológica, *diferente da europeia*. É claro que a liberdade do trabalho, a igualdade perante a lei e, de modo geral, o universalismo eram ideologia na Europa também; mas lá correspondiam às aparências, encobrindo o essencial — a exploração do trabalho. Entre nós, as mesmas ideias seriam falsas num sentido diverso, por assim dizer, original. A Declaração dos Direitos do Homem, por exemplo, transcrita em parte na Constituição Brasileira de 1824, não só não escondia nada, como tornava mais abjeto o instituto da escravidão.[4] A mesma coisa para a professada universalidade dos princípios, que transformava em escândalo a prática geral do *favor*. Que valiam, nestas circunstâncias, as grandes abstrações burguesas que usávamos tanto? Não descreviam a existência — mas nem só disso vivem as ideias. Re-

---

[3] Depoimento de uma firma comercial, M. Wright & Cia., com respeito à crise financeira dos anos 50. Citado por Joaquim Nabuco, *Um estadista do Império*, vol. I, São Paulo, 1936, p. 188, e retomado por S. B. de Holanda, *Raízes do Brasil*, Rio de Janeiro, José Olympio, 1956, p. 96.

[4] E. Viotti da Costa, "Introdução ao estudo da emancipação política", in C. G. Mota (org.), *Brasil em perspectiva*, São Paulo, Difel, 1968.

fletindo em direção parecida, Sérgio Buarque observa: "Trazendo de países distantes nossas formas de vida, nossas instituições e nossa visão do mundo e timbrando em manter tudo isso em ambiente muitas vezes desfavorável e hostil, somos uns desterrados em nossa terra".[5] Essa impropriedade de nosso pensamento, que não é acaso, como se verá, foi de fato uma presença assídua, atravessando e desequilibrando, até no detalhe, a vida ideológica do Segundo Reinado. Frequentemente inflada, ou rasteira, ridícula ou crua, e só raramente justa no tom, a prosa literária do tempo é uma das muitas testemunhas disso.

Embora sejam lugar-comum em nossa historiografia, as razões desse quadro foram pouco estudadas em seus efeitos. Como é sabido, éramos um país agrário e independente, dividido em latifúndios, cuja produção dependia do trabalho escravo por um lado, e por outro do mercado externo. Mais ou menos diretamente, vêm daí as singularidades que expusemos. Era inevitável, por exemplo, a presença entre nós do raciocínio econômico burguês — a prioridade do lucro, com seus corolários sociais — uma vez que dominava no comércio internacional, para onde a nossa economia era voltada. A prática permanente das transações escolava, neste sentido, quando menos uma pequena multidão. Além do que, havíamos feito a Independência há pouco, em nome de ideias francesas, inglesas e americanas, variadamente liberais, que assim faziam parte de nossa identidade nacional. Por outro lado, com igual fatalidade, este conjunto ideológico iria chocar-se contra a escravidão e seus defensores, e o que é mais, viver com eles.[6] No plano das convicções, a incompatibilidade é clara, e já vimos

---

[5] S. B. de Holanda, *op. cit.*, p. 15.

[6] E. Viotti da Costa, *op. cit.*

exemplos. Mas também no plano prático ela se fazia sentir. Sendo uma propriedade, um escravo pode ser vendido, mas não despedido. O trabalhador livre, nesse ponto, dá mais liberdade a seu patrão, além de imobilizar menos capital. Este aspecto — um entre muitos — indica o limite que a escravatura opunha à racionalização produtiva. Comentando o que vira numa fazenda, um viajante escreve: "não há especialização do trabalho, porque se procura economizar a mão de obra". Ao citar a passagem, F. H. Cardoso observa que "economia" não se destina aqui, pelo contexto, a fazer o trabalho num mínimo de tempo, mas num máximo. É preciso espichá-lo, a fim de encher e disciplinar o dia do escravo. O oposto exato do que era moderno fazer. Fundada na violência e na disciplina militar, a produção escravista dependia da autoridade, mais que da eficácia.[7] O estudo racional do processo produtivo, assim como a sua modernização continuada, com todo o prestígio que lhes advinha da revolução que ocasionavam na Europa, eram sem propósito no Brasil. Para complicar ainda o quadro, considere-se que o latifúndio escravista havia sido na origem um empreendimento do capital comercial, e que portanto o lucro fora desde sempre o seu pivô. Ora, o lucro como prioridade subjetiva é comum às formas antiquadas do capital e às mais modernas. De sorte que os incultos e abomináveis escravistas até certa data — quando esta forma de produção veio a ser menos rentável que o trabalho assalariado — foram no essencial capitalistas mais consequentes do que nossos defensores de Adam Smith, que no capitalismo achavam antes que tudo a liberdade. Está-se vendo que para a vida intelectual o nó esta-

---

[7] F. H. Cardoso, *Capitalismo e escravidão*, São Paulo, Difel, 1962, pp. 189--91 e 198.

va armado. Em matéria de racionalidade, os papéis se embaralhavam e trocavam normalmente: a ciência era fantasia e moral, o obscurantismo era realismo e responsabilidade, a técnica não era prática, o altruísmo implantava a mais-valia etc. E, de maneira geral, na ausência do interesse organizado da escravaria, o confronto entre humanidade e inumanidade, por justo que fosse, acabava encontrando uma tradução mais rasteira no conflito entre dois modos de empregar os capitais — do qual era a imagem que convinha a uma das partes.[8]

Impugnada a todo instante pela escravidão a ideologia liberal, que era a das jovens nações emancipadas da América, descarrilhava. Seria fácil deduzir o sistema de seus contrassensos, todos verdadeiros, muitos dos quais agitaram a consciência teórica e moral de nosso século XIX. Já vimos uma coleção deles. No entanto, estas dificuldades permaneciam curiosamente inessenciais. O teste da realidade não parecia importante. É como se coerência e generalidade não pesassem muito, ou como se a esfera da cultura ocupasse uma posição alterada, cujos critérios fossem outros — mas outros em relação a quê? Por sua mera presença, a escravidão indicava a impropriedade das ideias liberais; o que entretanto é menos que orientar-lhes o movimento. Sendo embora a relação produtiva fundamental, a escravidão não era o nexo efetivo da vida ideológica. A chave desta era diversa. Para descrevê-la é preciso retomar o país como todo. Esquematizando, pode-se dizer que a colonização produziu, com base no

---

[8] Conforme observa Luiz Felipe de Alencastro em sua tese de doutorado, *O trato dos viventes: tráfico de escravos e 'Pax Lusitana' no Atlântico Sul, séculos XVI-XIX* (Universidade de Paris, Nanterre, 1985-1986), a verdadeira questão nacional de nosso século XIX foi a defesa do tráfico negreiro contra a pressão inglesa. Uma questão que não podia ser menos propícia ao entusiasmo intelectual.

monopólio da terra, três classes de população: o latifundiário, o escravo e o "homem livre", na verdade dependente. Entre os primeiros dois a relação é clara, é a multidão dos terceiros que nos interessa. Nem proprietários nem proletários, seu acesso à vida social e a seus bens depende materialmente do *favor*, indireto ou direto, de um grande.[9] O agregado é a sua caricatura. O favor é, portanto, o mecanismo através do qual se reproduz uma das grandes classes da sociedade, envolvendo também outra, a dos que têm. Note-se ainda que entre estas duas classes é que irá acontecer a vida ideológica, regida, em consequência, por este mesmo mecanismo.[10] Assim, com mil formas e nomes, o favor atravessou e afetou no conjunto a existência nacional, ressalvada sempre a relação produtiva de base, esta assegurada pela força. Esteve presente por toda parte, combinando-se às mais variadas atividades, mais e menos afins dele, como administração, política, indústria, comércio, vida urbana, Corte etc. Mesmo profissões liberais, como a medicina, ou qualificações operárias, como a tipografia, que, na acepção europeia, não deviam nada a ninguém, entre nós eram governadas por ele. E assim como o profissional dependia do favor para o exercício de sua profissão, o pequeno proprietário depende dele para a segurança de sua propriedade, e o funcionário para o seu posto. *O favor é a nossa mediação quase universal* — e sendo mais simpático do que o nexo escravista, a outra relação que a colônia nos legara, é compreensível que os

---

[9] Para uma exposição mais completa do assunto, Maria Sylvia de Carvalho Franco, *Homens livres na ordem escravocrata*, São Paulo, Instituto de Estudos Brasileiros, 1969.

[10] Sobre os efeitos ideológicos do latifúndio, ver o cap. III de *Raízes do Brasil*, "A herança rural".

escritores tenham baseado nele a sua interpretação do Brasil, involuntariamente disfarçando a violência, que sempre reinou na esfera da produção.

O escravismo desmente as ideias liberais; mais insidiosamente o favor, tão incompatível com elas quanto o primeiro, as absorve e desloca, originando um padrão particular. O elemento de arbítrio, o jogo fluido de estima e autoestima a que o favor submete o interesse material, não podem ser integralmente racionalizados. Na Europa, ao atacá-los, o universalismo visara o privilégio feudal. No processo de sua afirmação histórica, a civilização burguesa postulara a autonomia da pessoa, a universalidade da lei, a cultura desinteressada, a remuneração objetiva, a ética do trabalho etc. — contra as prerrogativas do *Ancien Régime*. O favor, ponto por ponto, pratica a dependência da pessoa, a exceção à regra, a cultura interessada, remuneração e serviços pessoais. Entretanto, não estávamos para a Europa como o feudalismo para o capitalismo, pelo contrário, éramos seus tributários em toda linha, além de não termos sido propriamente feudais — a colonização é um feito do capital comercial. No fastígio em que estava ela, Europa, e na posição relativa em que estávamos nós, ninguém no Brasil teria a ideia e principalmente a força de ser, digamos, um Kant do favor, para bater-se contra o outro.[11] De modo que o confronto entre esses princípios tão antagônicos resultava desigual: no campo dos argumentos prevaleciam com facilidade, ou melhor, adotávamos sofregamente os que a burguesia europeia tinha elaborado contra arbítrio e escravidão; enquan-

---

[11] Como observa Machado de Assis, em 1879, "o influxo externo é que determina a direção do movimento; não há por ora no nosso ambiente, a força necessária à invenção de doutrinas novas". Cf. "A nova geração", *Obra completa*, vol. III, Rio de Janeiro, Aguilar, 1959, pp. 826-7.

to na prática, geralmente dos próprios debatedores, sustentado pelo latifúndio, o favor reafirmava sem descanso os sentimentos e as noções em que implica. O mesmo se passa no plano das instituições, por exemplo com burocracia e justiça, que embora regidas pelo clientelismo, proclamavam as formas e teorias do estado burguês moderno. Além dos naturais debates, este antagonismo produziu, portanto, uma coexistência estabilizada — que interessa estudar. Aí a novidade: *adotadas as ideias e razões europeias, elas podiam servir e muitas vezes serviram de justificação, nominalmente "objetiva", para o momento de arbítrio que é da natureza do favor.* Sem prejuízo de existir, o antagonismo se desfaz em fumaça e os incompatíveis saem de mãos dadas. Esta recomposição é capital. Seus efeitos são muitos, e levam longe em nossa literatura. De ideologia que havia sido — isto é, engano involuntário e bem fundado nas aparências — o liberalismo passa, na falta de outro termo, a penhor intencional duma variedade de prestígios com que nada tem a ver. Ao legitimar o arbítrio por meio de alguma razão "racional", o favorecido conscientemente engrandece a si e ao seu benfeitor, que por sua vez não vê, nessa era de hegemonia das razões, motivo para desmenti-lo. Nestas condições, quem acreditava na justificação? A que aparência correspondia? Mas justamente, não era este o problema, pois todos reconheciam — e isto sim era importante — a intenção louvável, seja do agradecimento, seja do favor. A compensação simbólica podia ser um pouco desafinada, mas não era mal-agradecida. Ou por outra, seria desafinada em relação ao Liberalismo, que era secundário, e justa em relação ao favor, que era principal. E nada melhor, para dar lustre às pessoas e à sociedade que formam, do que as ideias mais ilustres do tempo, no caso as europeias. Neste contexto, portanto, as ideologias não descrevem sequer falsamente a realidade, e não gravitam segundo uma lei que lhes seja própria — por isso as chamamos de segundo grau. Sua regra é outra, diversa da que denominam; é da ordem do relevo social, em detrimento de sua intenção cognitiva e de sistema. Deriva sossegadamente do óbvio, sabido de todos — da inevitável "superioridade" da Europa — e liga-se ao momento expressivo, de autoestima e fantasia, que existe no favor. Neste sentido dizíamos que o teste da realidade e da coerência não parecia, aqui, decisivo, sem prejuízo de estar sempre presente como exigência reconhecida, evocada ou suspensa conforme a circunstância. Assim, com método, atribui-se independência à dependência, utilidade ao capricho, universalidade às exceções, mérito ao parentesco, igualdade ao privilégio etc. Combinando-se à prática de que, em princípio, seria a crítica, o Liberalismo fazia com que o pensamento perdesse o pé. Retenha-se no entanto, para analisarmos depois, a complexidade desse passo: ao tornarem-se despropósito, estas ideias deixam também de enganar.

É claro que esta combinação foi uma entre outras. Para o nosso clima ideológico, entretanto, foi decisiva, além de ser aquela em que os problemas se configuram da maneira mais completa e diferente. Por agora bastem alguns aspectos. Vimos que nela as ideias da burguesia — cuja grandeza sóbria remonta ao espírito público e racionalista da Ilustração — tomam função de... ornato e marca de fidalguia: atestam e festejam a participação numa esfera augusta, no caso a da Europa que se... industrializa. O quiproquó das ideias não podia ser maior. A novidade no caso não está no caráter ornamental de saber e cultura, que é da tradição colonial e ibérica; está na dissonância propriamente incrível que ocasionam o saber e a cultura de tipo "moderno" quando postos neste contexto. São inúteis como um berloque? São brilhantes como uma comenda? Serão a nossa panaceia? Envergonham-nos diante do mundo? O mais certo é que nas idas e vindas de argumento e interesse todos estes aspectos tivessem ocasião de se manifestar, de maneira que na consciência dos mais atentos deviam estar ligados e misturados. Inextricavelmente, a vida ideológica degradava e condecorava os seus participantes, entre os quais muitas vezes haveria clareza disso. Tratava-se, portanto, de uma combinação instável, que facilmente degenerava em hostilidade e crítica as mais acerbas. Para manter-se precisa de cumplicidade permanente, cumplicidade que a prática do favor tende a garantir. No momento da prestação e da contraprestação — particularmente no instante-chave do reconhecimento recíproco — a nenhuma das partes interessa denunciar a outra, tendo embora a todo instante os elementos necessários para fazê-lo. Esta cumplicidade sempre renovada tem continuidades sociais mais profundas, que lhe dão peso de classe: no contexto brasileiro, o favor assegurava às duas partes, em especial à mais fraca, de que nenhuma é escrava. Mesmo o mais miserável dos favorecidos via reconhecida nele, no favor, a sua livre pessoa, o que transformava prestação e contraprestação, por modestas que fossem, numa cerimônia de superioridade social, valiosa em si mesma. Lastreado pelo infinito de dureza e degradação que esconjurava — ou seja a escravidão, de que as duas partes beneficiam e timbram em se diferençar — este reconhecimento é de uma conivência sem fundo, multiplicada, ainda, pela adoção do vocabulário burguês da igualdade, do mérito, do trabalho, da razão. Machado de Assis será mestre nestes meandros. Contudo veja-se também outro lado. Imersos que estamos, ainda hoje, no universo do Capital, que não chegou a tomar forma clássica no Brasil, tendemos a ver esta combinação como inteiramente desvantajosa para nós, composta só de defeitos. Vantagens não há de ter tido; mas para apreciar devidamente a sua complexidade considere-se que as ideias da burguesia, a princípio voltadas contra o privilégio, a partir de 1848 se haviam tornado apologética: a vaga das lutas sociais na Europa mostrara que a universalidade disfarça antagonismos de classe.[12] Portanto, para bem lhe reter o timbre ideológico é preciso considerar que o nosso discurso impróprio era oco também quando usado propriamente. Note-se, de passagem, que este padrão iria repetir-se no século XX, quando por várias vezes juramos, crentes de nossa modernidade, segundo as ideologias mais rotas da cena mundial. Para a literatura, como veremos, resulta daí um labirinto singular, uma espécie de oco dentro do oco. Ainda aqui, Machado será o mestre.

Em suma, se insistimos no viés que escravismo e favor introduziram nas ideias do tempo, não foi para as descartar, mas para descrevê-las enquanto enviesadas — fora de centro em relação à exigência que elas mesmas propunham, e reconhecivelmente nossas, nessa mesma qualidade. Assim, posto de parte o raciocínio sobre as causas, resta na experiência aquele "desconcerto" que foi o nosso ponto de partida: a sensação que o Brasil dá de dualismo e factício — contrastes rebarbativos, desproporções, disparates, anacronismos, contradições, conciliações e o que for — combinações que o Modernismo, o Tropicalismo e a Economia Política nos ensinaram a considerar.[13] Não faltam exemplos. Vejam-se alguns, menos para analisá-los, que para indicar a ubiquidade do quadro e a variação de que é capaz. Nas revistas do tempo, sendo grave ou risonha, a apresentação do número inicial é composta

---

[12] G. Lukács, "Marx und das Problem des ideologischen Verfalls", in *Probleme des Realismus*, Werke, vol. IV, Neuwied, Luchterhand.

[13] Explorada em outra linha, a mesma observação encontra-se em Sérgio Buarque: "Podemos construir obras excelentes, enriquecer nossa humanidade de aspectos novos e imprevistos, elevar à perfeição o tipo de civilização que representamos: o certo é que todo o fruto de nosso trabalho e de nossa preguiça parece participar de um sistema de evolução próprio de outro clima e de outra paisagem", *op. cit.*, p. 15.

para baixo e falsete: primeira parte, afirma-se o propósito redentor da imprensa, na tradição de combate da Ilustração; a grande seita fundada por Guthenberg afronta a indiferença geral, nas alturas o condor e a mocidade entreveem o futuro, ao mesmo tempo que repelem o passado e os preconceitos, enquanto a tocha regeneradora do Jornal desfaz as trevas da corrupção. Na segunda parte, conformando-se às circunstâncias, as revistas declaram a sua disposição cordata, de "dar a todas as classes em geral e particularmente à honestidade das famílias, um meio de deleitável instrução e de ameno recreio". A intenção emancipadora casa-se com charadas, união nacional, figurinos, conhecimentos gerais e folhetins.[14] Caricatura desta sequência são os versinhos que servem de epígrafe à *Marmota na Corte*: "Eis a Marmota/ Bem variada/ P'ra ser de todos/ Sempre estimada.// Fala a verdade,/ Diz o que sente,/ Ama e respeita/ A toda gente". Se, noutro campo, raspamos um pouco os nossos muros, mesmo efeito de coisa compósita: "A transformação arquitetônica era superficial. Sobre as paredes de terra, erguidas por escravos, pregavam-se papéis decorativos europeus ou aplicavam-se pinturas, de forma a criar a ilusão de um ambiente novo, como os interiores das residências dos países em industrialização. Em certos exemplos, o fingimento atingia o absurdo: pintavam-se motivos arquitetônicos greco-romanos — pi-

---

[14] Ver o "Prospecto" de *O Espelho*, nº 1, Revista semanal de literatura, modas, indústrias e artes, Rio de Janeiro, Typographia de F. de Paula Brito, 1859, p. 1; "Introdução" da *Revista Fluminense*, ano I, nº 1, Semanário noticioso, literário, científico, recreativo etc., etc., novembro de 1868, pp. 1-2; *A Marmota na Corte*, Typographia de F. de Paula Brito, 7/9/1840, p. 1; *Revista Ilustrada*, nº 1, Rio de Janeiro, publicada por Angelo Agostini, 1/1/1876; "Apresentação" de *O Bezouro*, ano I, nº 1, Folha humorística e satírica, 6/4/1878; "Cavaco", in *O Cabrião*, nº 1, São Paulo, Typ. Imperial, 1866, p. 2.

lastras, arquitraves, colunatas, frisas etc. — com perfeição de perspectiva e sombreamento, sugerindo uma ambientação neoclássica jamais realizável com as técnicas e materiais disponíveis no local. Em outros, pintavam-se janelas nas paredes, com vistas sobre ambientes do Rio de Janeiro, ou da Europa, sugerindo um exterior longínquo, certamente diverso do real, das senzalas, escravos e terreiros de serviço".[15] O trecho refere-se a casas rurais na Província de São Paulo, segunda metade do século XIX. Quanto à corte: "A transformação atendia à mudança dos costumes, que incluíam agora o uso de objetos mais refinados, de cristais, louças e porcelanas, e formas de comportamento cerimonial, como maneiras formais de servir à mesa. Ao mesmo tempo conferia ao conjunto, que procurava reproduzir a vida das residências europeias, uma aparência de veracidade. Desse modo, os estratos sociais que mais benefícios tiravam de um sistema econômico baseado na escravidão e destinado exclusivamente à produção agrícola procuravam criar, para seu uso, artificialmente, ambientes com características urbanas e europeias, cuja operação exigia o afastamento dos escravos e onde tudo ou quase tudo era produto de importação".[16] Ao vivo esta comédia está nos notáveis capítulos iniciais do *Quincas Borba*. Rubião, herdeiro recente, é constrangido a trocar o seu escravo crioulo por um cozinheiro francês e um criado espanhol, perto dos quais não fica à vontade. Além de ouro e prata, seus metais do coração, aprecia agora as estatuetas de bronze — um Fausto e um Mefistófeles — que são também de preço. Matéria mais solene, mas igual-

---

[15] Nestor Goulart Reis Filho, *Arquitetura residencial brasileira no século XIX*, pp. 14-5 (manuscrito).

[16] Nestor Goulart Reis Filho, *op. cit.*, p. 8.

mente marcada pelo tempo, é a letra de nosso hino à República, escrita em 1890, pelo poeta decadente Medeiros e Albuquerque. Emoções progressistas a que faltava o natural: "Nós nem cremos que escravos outrora/ Tenha havido em tão nobre país!" (outrora é dois anos antes, uma vez que a Abolição é de 88). Em 1817, numa declaração do governo revolucionário de Pernambuco, mesmo timbre, com intenções opostas: "Patriotas, vossas propriedades inda as mais opugnantes ao ideal de justiça serão sagradas".[17] Refere-se aos rumores de emancipação, que era preciso desfazer, para acalmar os proprietários. Também a vida de Machado de Assis é um exemplo, na qual se sucedem rapidamente o jornalista combativo, entusiasta das "inteligências proletárias, das classes ínfimas", autor de crônicas e quadrinhas comemorativas, por ocasião do casamento das princesas imperiais, e finalmente o Cavaleiro e mais tarde Oficial da Ordem da Rosa.[18] Contra isso tudo vai sair a campo Sílvio Romero. "É mister fundar uma nacionalidade consciente de seus méritos e defeitos, de sua força e de seus delíquios, e não arrumar um pastiche, um arremedo de *judas* das festas populares que só serve para vergonha nossa aos olhos do estrangeiro. [...] Só um remédio existe para tamanho *desideratum*: — mergulharmo-nos na corrente vivificante das ideias naturalistas e monísticas, que vão transformando o velho mundo."[19] À distância é tão clara que tem graça a substituição de um arremedo por outro. Mas é também dramá-

---

[17] E. Viotti da Costa, *op. cit.*, p. 104.

[18] Jean-Michel Massa, *A juventude de Machado de Assis*, Rio de Janeiro, Civilização Brasileira, 1971, pp. 265, 435, 568.

[19] S. Romero, *Ensaios de crítica parlamentar*, Rio de Janeiro, Moreira, Maximino & Cia., 1883, p. 15.

tica, pois assinala quanto era alheia a linguagem na qual se expressava, inevitavelmente, o nosso desejo de autenticidade. Ao pastiche romântico iria suceder o naturalista. Enfim, nas revistas, nos costumes, nas casas, nos símbolos nacionais, nos pronunciamentos de revolução, na teoria e onde mais for, sempre a mesma composição "arlequinal", para falar com Mário de Andrade: o desacordo entre a representação e o que, pensando bem, sabemos ser o seu contexto. — Consolidada por seu grande papel no mercado internacional, e mais tarde na política interna, a combinação de latifúndio e trabalho compulsório atravessou impávida a Colônia, Reinados e Regências, Abolição, a Primeira República, e hoje mesmo é matéria de controvérsia e tiros.[20] O ritmo de nossa vida ideológica, no entanto, foi outro, também ele determinado pela dependência do país: à distância acompanhava os passos da Europa. Note-se, de passagem, que é a ideologia da independência que vai transformar em defeito esta combinação; bobamente, quando insiste na impossível autonomia cultural, e profundamente, quando reflete sobre o problema. Tanto a eternidade das relações sociais de base quanto a lepidez ideológica das "elites" eram parte — a parte que nos toca — da gravitação deste sistema por assim dizer solar, e certamente internacional, que é o capitalismo. Em consequência, um latifúndio pouco modificado viu passarem as maneiras barroca, neoclássica romântica, naturalista, modernista e outras, que na Europa acompanharam e refletiram transformações imensas na ordem social. Seria de supor que aqui perdessem a justeza, o que em parte se deu. No entanto, vimos que é inevitável este desajuste, ao qual

---

[20] Para as razões desta inércia, ver Celso Furtado, *Formação econômica do Brasil*, São Paulo, Companhia Editora Nacional, 1971.

estávamos condenados pela máquina do colonialismo, e ao qual, para que já fique indicado o seu alcance mais que nacional, estava condenada a mesma máquina quando nos produzia. Trata-se enfim de segredo mui conhecido, embora precariamente teorizado. Para as artes, no caso, a solução parece mais fácil, pois sempre houve modo de adorar, citar, macaquear, saquear, adaptar ou devorar estas maneiras e modas todas, de modo que refletissem, na sua falha, a espécie de torcicolo cultural em que nos reconhecemos. Mas, voltemos atrás. Em resumo, as ideias liberais não se podiam praticar, sendo ao mesmo tempo indescartáveis. Foram postas numa constelação especial, uma constelação prática, a qual formou sistema e não deixaria de afetá-las. Por isso, pouco ajuda insistir na sua clara falsidade. Mais interessante é acompanhar-lhes o movimento, de que ela, a falsidade, é parte verdadeira. Vimos o Brasil, bastião da escravatura, envergonhado diante delas — as ideias mais adiantadas do planeta, ou quase, pois o socialismo já vinha à ordem do dia — e rancoroso, pois não serviam para nada. Mas eram adotadas também com orgulho, de forma ornamental, como prova de modernidade e distinção. E naturalmente foram revolucionárias quando pesaram no Abolicionismo. Submetidas à influência do lugar, sem perderem as pretensões de origem, gravitavam segundo uma regra nova, cujas graças, desgraças, ambiguidades e ilusões eram também singulares. Conhecer o Brasil era saber destes deslocamentos, vividos e praticados por todos como uma espécie de fatalidade, para os quais, entretanto, não havia nome, pois a utilização imprópria dos nomes era a sua natureza. Largamente sentido como defeito, bem conhecido mas pouco pensado, este sistema de improuriedades decerto rebaixava o cotidiano da vida ideológica e diminuía as chances da reflexão. Contudo facilitava o ceticismo em face das ideologias, por vezes bem completo e descansado, e compatível aliás com muito verbalismo. Exacerbado um nadinha, dará na força espantosa da visão de Machado de Assis. Ora, o fundamento deste ceticismo não está seguramente na exploração refletida dos limites do pensamento liberal. Está, se podemos dizer assim, no ponto de partida intuitivo, que nos dispensava do esforço. Inscritas num sistema que não descrevem nem mesmo em aparência, as ideias da burguesia viam infirmada já de início, pela evidência diária, a sua pretensão de abarcar a natureza humana. Se eram aceitas, eram-no por razões que elas próprias não podiam aceitar. Em lugar de horizonte, apareciam sobre um fundo mais vasto, que as relativiza: as idas e vindas de arbítrio e favor. Abalava-se na base a sua intenção universal. Assim, o que na Europa seria verdadeira façanha da crítica, entre nós podia ser a singela descrença de qualquer pachola, para quem utilitarismo, egoísmo, formalismo e o que for, são uma roupa entre outras, muito da época mas desnecessariamente apertada. Está-se vendo que este chão social é de consequência para a história da cultura: uma gravitação complexa, em que volta e meia se repete uma constelação na qual a ideologia hegemônica do Ocidente faz figura derrisória, de mania entre manias. O que é um modo, também, de indicar o alcance mundial que têm e podem ter as nossas esquisitices nacionais. Algo de comparável, talvez, ao que se passava na literatura russa. Diante desta, ainda os maiores romances do realismo francês fazem impressão de ingênuos. Por que razão? Justamente, é que a despeito de sua intenção universal, a psicologia do egoísmo racional, assim como a moral formalista, faziam no Império Russo efeito de uma ideologia "estrangeira", e portanto localizada e relativa. De dentro de seu atraso histórico, o país impunha ao romance burguês um quadro mais complexo. A figura caricata do ocidentalizante, francófilo ou germanófilo, de nome frequentemente alegórico e ridículo, os ideólogos do progresso, do liberalismo, da razão, eram tudo formas de trazer à cena a modernização que acompanha o

Capital. Estes homens esclarecidos mostram-se alternadamente lunáticos, ladrões, oportunistas, crudelíssimos, vaidosos, parasitas etc. O sistema de ambiguidades assim ligadas ao uso local do ideário burguês — uma das chaves do romance russo — pode ser comparado àquele que descrevemos para o Brasil. São evidentes as razões sociais da semelhança. Também na Rússia a modernização se perdia na imensidão do território e da inércia social, entrava em choque com a instituição servil e com seus restos —, choque experimentado como inferioridade e vergonha nacional por muitos, sem prejuízo de dar a outros um critério para medir o desvario do progressismo e do individualismo que o Ocidente impunha e impõe ao mundo. Na exacerbação deste confronto, em que o progresso é uma desgraça e o atraso uma vergonha, está uma das raízes profundas da literatura russa. Sem forçar em demasia uma comparação desigual, há em Machado — pelas razões que sumariamente procurei apontar — um veio semelhante, algo de Gógol, Dostoiévski, Gontcharov, Tchekhov, e de outros talvez, que não conheço.[21] Em suma, a própria desqualificação do pensamento entre nós, que tão amargamente sentía-

---

[21] Para uma construção rigorosa de nosso problema ideológico, em linha um pouco diversa desta, ver Paula Beiguelman, *Teoria e ação no pensamento abolicionista*, primeiro volume de *Formação política do Brasil*, São Paulo, Pioneira, 1967, em que há várias citações que parecem sair de um romance russo. Veja-se a seguinte, de Pereira Barreto: "De um lado estão os abolicionistas, estribados sobre o sentimentalismo retórico e armados da metafísica revolucionária, correndo após tipos abstratos para realizá-los em fórmulas sociais; de outro estão os lavradores, mudos e humilhados, na atitude de quem se reconhece culpado ou medita uma vingança impossível". P. Barreto é defensor de uma agricultura científica — é um progressista do café — e neste sentido acha que a abolição deve ser efeito automático do progresso agrícola. Além de que os negros são uma raça inferior, e é uma desgraça depender deles. *Op. cit.*, p. 159.

mos, e que ainda hoje asfixia o estudioso do nosso século XIX, era uma ponta, um ponto nevrálgico por onde passa e se revela a história mundial.[22]

Ao longo de sua reprodução social, incansavelmente o Brasil põe e repõe ideias europeias, sempre em sentido impróprio. É nesta qualidade que elas serão matéria e problema para a literatura. O escritor pode não saber disso, nem precisa para usá-las. Mas só alcança uma ressonância profunda e afinada caso lhes sinta, registre e desdobre — ou evite — o descentramento e a desafinação. Se há um número indefinido de maneiras de fazê-lo, são palpáveis e definíveis as contravenções. Nestas registra-se, como ingenuidade, tagarelice, estreiteza, servilismo, grosseria etc., a eficácia específica e local de uma alienação de braços longos — a falta de transparência social, imposta pelo nexo colonial e pela dependência que veio continuá-lo. Isso posto, o leitor pouco ficou sabendo de nossa história literária ou geral, e não situa Machado de Assis. De que lhe servem então estas páginas? Em vez do "panorama" e da ideia correlata de impregnação pelo ambiente, sempre sugestiva e verdadeira, mas sempre vaga e externa, tentei uma solução diferente: especificar um mecanismo social, na forma em que ele se torna elemento interno e ativo da cultura; uma dificuldade inescapável — tal como o Brasil a punha e repunha aos seus homens cultos, no processo mesmo de sua reprodução social. Noutras palavras, uma espécie de chão históri-

---

[22] Antonio Candido lança algumas ideias neste sentido. Procura distinguir uma linhagem "malandra" em nossa literatura. Veja-se a sua "Dialética da malandragem", na *Revista do Instituto de Estudos Brasileiros*, nº 8, São Paulo, 1970. Republicado em *O discurso e a cidade*, São Paulo, Duas Cidades, 1993. Também os parágrafos sobre a Antropofagia, na "Digressão sentimental sobre Oswald de Andrade", *in Vários escritos*, São Paulo, Duas Cidades, 1970, pp. 84 ss.

co, analisado, da experiência intelectual. Pela ordem, procurei ver na gravitação das ideias um movimento que nos singularizava. Partimos da observação comum, quase uma sensação, de que no Brasil as ideias estavam fora de centro, em relação ao seu uso europeu. E apresentamos uma explicação histórica para esse deslocamento, que envolvia as relações de produção e parasitismo no país, a nossa dependência econômica e seu par, a hegemonia intelectual da Europa, revolucionada pelo Capital. Em suma, para analisar uma originalidade nacional, sensível no dia a dia, fomos levados a refletir sobre o processo da colonização em seu conjunto, que é internacional. O tic-tac das conversões e reconversões de liberalismo e favor é o efeito local e opaco de um mecanismo planetário. Ora, a gravitação cotidiana das ideias e das perspectivas práticas é a matéria imediata e natural da literatura, desde o momento em que as formas fixas tenham perdido a sua vigência para as artes. Portanto, é o ponto de partida também do romance, quanto mais do romance realista. Assim, o que estivemos descrevendo é a feição exata com que a História mundial, na forma estruturada e cifrada de seus resultados locais, sempre repostos, passa para dentro da escrita, em que agora influi pela via interna — o escritor saiba ou não, queira ou não queira. Noutras palavras, definimos um campo vasto e heterogêneo, mas estruturado, que é *resultado* histórico, e pode ser *origem* artística. Ao estudá-lo, vimos que difere do europeu, usando embora o seu vocabulário. Portanto a própria diferença, a comparação e a distância fazem parte de sua definição. Trata-se de uma diferença interna — o descentramento de que tanto falamos — em que as razões nos aparecem ora nossas, ora alheias, a uma luz ambígua, de efeito incerto. Resulta uma química também singular, cujas afinidades e repugnâncias acompanhamos e exemplificamos um pouco. É natural, por outro lado, que esse material proponha problemas originais à literatura que dependa dele. Sem avançarmos por agora, digamos apenas que, ao contrário do que geralmente se pensa, a matéria do artista mostra assim não ser informe: é historicamente formada, e registra de algum modo o processo social a que deve a sua existência. Ao formá-la, por sua vez, o escritor sobrepõe uma forma a outra forma, e é da felicidade desta operação, desta relação com a matéria pré-formada — em que imprevisível dormita a História — que vão depender profundidade, força, complexidade dos resultados. São relações que nada têm de automático, e veremos no detalhe quanto custou, entre nós, acertá-las para o romance. E vê-se, variando-se ainda uma vez o mesmo tema, que embora lidando com o modesto tic-tac de nosso dia a dia, e sentado à escrivaninha num ponto qualquer do Brasil, o nosso romancista sempre teve como matéria, que ordena como pode, questões da história mundial; e que não as trata, se as tratar diretamente.

II.
A importação do romance
e suas contradições
em Alencar

O romance existiu no Brasil, antes de haver romancistas brasileiros.[1] Quando apareceram, foi natural que estes seguissem os modelos, bons e ruins, que a Europa já havia estabelecido em nossos hábitos de leitura. Observação banal, que no entanto é cheia de consequências: a nossa imaginação fixara-se numa forma cujos pressupostos, em razoável parte, não se encontravam no país, ou encontravam-se alterados. Seria a forma que não prestava — a mais ilustre do tempo — ou seria o país? Exemplo desta ambivalência, própria de nações de periferia, é dado na época pelo americano Henry James, que acabaria emigrando, atraído pela complexidade social da Inglaterra, que lhe parecia mais propícia à imaginação.[2] Mas veja-se o caso de mais perto: adotar o romance

---

[1] Leia-se a este respeito o sugestivo estudo de Marlyse Meyer, "O que é, ou quem foi Sinclair das Ilhas?", *in Revista do Instituto de Estudos Brasileiros*, nº 14, São Paulo, 1973.

[2] Teobaldo, um americano enfático de "The madona of the future" (1873): "Somos os deserdados da arte! Estamos condenados à superficialidade, excluídos do círculo encantado! O solo da percepção americana é um sedimento escasso, estéril, artificial! Sim, estamos destinados à imperfeição. Para atingir a excelência, o americano tem que aprender dez vezes mais que o europeu. Falta-nos o sentido

era acatar também a sua maneira de tratar as ideologias. Ora, vimos que entre nós elas estão deslocadas, sem prejuízo de guardarem o nome e o prestígio originais, diferença que é involuntária, um efeito prático da nossa formação social. Caberia ao escritor, em busca de sintonia, reiterar esse deslocamento em nível formal, sem o que não fica em dia com a complexidade objetiva de sua matéria — por próximo que esteja da lição dos mestres. Esta será a façanha de Machado de Assis. Em suma, a mesma dependência global que nos obriga a pensar em categorias impróprias, nos induzia a uma literatura em que essa impropriedade não tinha como aflorar. Ou por outra, antecipando: em vez de princípio construtivo, a diferença apareceria involuntária e indesejadamente, pelas frestas, como defeito. Uma instância

---

mais apurado. Não temos gosto, tato ou força. E como haveríamos de ter? Nosso clima rude e mal-encarado, nosso passado silencioso, nosso presente ensurdecedor, a pressão constante das circunstâncias desprovidas de graça — tudo é tão sem estímulo, alimento e inspiração para o artista, quanto é sem amargura o meu coração ao dizê-lo! Nós, pobres aspirantes, deveremos viver em perpétuo exílio". *The complete tales of Henry James*, vol. III, Londres, Rupert Hart-Davis, 1962, pp. 14-5. De volta à América, em visita a Boston, James anota: "Tenho 37 anos, fiz a minha escolha, e sabe Deus que não tenho tempo a perder. A minha escolha, é o velho mundo — minha escolha, minha necessidade, minha vida. [...] Meu trabalho está lá — *je n'ai que faire* neste vasto novo mundo. Não é possível fazer as duas coisas — é preciso escolher. [...] O peso é necessariamente maior para um americano — pois ele *precisa* lidar, mais ou menos, e ainda que só por implicação, com a Europa; enquanto que europeu algum é obrigado a lidar sequer minimamente com a América. Ninguém vai achá-lo menos completo por causa disto. (Falo naturalmente de pessoas que fazem o meu tipo de trabalho; não de economistas ou do pessoal das ciências sociais.) O pintor de costumes que não se ocupe da América não é incompleto, por enquanto. Mas daqui a cem anos — talvez cinquenta — ele certamente o será". F. O. Matthiessen e K. B. Murdock (orgs.), *The notebooks of Henry James*, Nova York, Galaxy Book, 1961, entrada de 25/11/1881, pp. 23-4.

literária do nível intelectual rebaixado a que nos referíamos no capítulo anterior. — Lembrando os anos da sua formação, Alencar fala nos serões da infância, em que lia em voz alta para a mãe e as parentas, até ficar a sala toda em prantos. Os livros eram *Amanda e Oscar*, *Saint-Clair das Ilhas*, *Celestina* e outros. Menciona também os gabinetes de leitura, a biblioteca romântica de seus colegas, nas repúblicas estudantis de São Paulo — Balzac, Dumas, Vigny, Chateaubriand, Hugo, Byron, Lamartine, Sue, mais tarde Scott e Cooper — e a impressão que então lhe causara o sucesso de *A moreninha*, o primeiro romance de Macedo.[3] Por que não tentar, ele também? "Qual régio diadema valia essa auréola de entusiasmo a cingir o nome de um escritor?"[4] Não faltavam os grandes modelos, e mais que esse ou aquele havia o prestígio do molde geral, e o desejo patriótico de dotar o país de mais um melhoramento do espírito moderno.[5] No entanto, a imigração do romance, particularmente de seu veio realista, iria por dificuldades. A ninguém constrangia frequentar em pensamento salões e barricadas de Paris. Mas trazer às nossas ruas e salas o cortejo de sublimes viscondessas, arrivistas fulminantes, ladrões ilustrados, ministros epigramáticos, príncipes imbecis, cientistas visionários, ainda que nos chegassem apenas os seus problemas e o seu tom, não combinava bem. Contudo, haveria romance na sua ausência? Os grandes temas, de que vem ao romance a energia e nos quais se ancora a sua forma — a carreira

---

[3] José de Alencar, *Como e por que sou romancista*, *Obra completa* (*OC*), vol. I, Rio de Janeiro, Aguilar, 1959.

[4] *Idem*, p. 138.

[5] Antonio Candido, "Aparecimento da ficção", *Formação da literatura brasileira*, vol. II, São Paulo, Martins, 1969.

social, a força dissolvente do dinheiro, o embate de aristocracia e vida burguesa, o antagonismo entre amor e conveniência, vocação e ganha-pão — como ficavam no Brasil? Modificados, sem dúvida. Mas existiam, além de existirem fortemente na imaginação, com a realidade que tinha para nós o conjunto das ideias europeias. Não estavam à mão no entanto o sistema de suas modificações, e muito menos os efeitos deste último sobre a forma literária. Estes deveriam ser descobertos e elaborados. Assim como, aliás, os mencionados temas não estiveram prontos desde sempre, à espera do romance europeu. Surgiram, ou tomaram a sua forma moderna, sobre o solo da transição — continental e secular — da era feudal à do capitalismo. Também na Europa foi preciso explorá-los, isolar, combinar, até que se formasse uma espécie de acervo comum, em que se alimentaram ruins, medianos e grandes. Diga-se de passagem que é este aspecto cumulativo e coletivo da criação literária, mesmo da individual, que iria permitir a multidão dos romances razoáveis que o Realismo produziu. Na crista das soluções e ideias correntes, ainda se não as aprofundam, estes livros fazem a impressão de complexidade, e logram sustentar o interesse da leitura. Como em nossos dias o bom filme. Um gênero de acumulação que foi difícil para a literatura brasileira, cujos estímulos vinham e vêm de fora. Desvantagem, por outro lado, que hoje tem as suas vantagens, convergindo muito naturalmente com a bancarrota da tradição, a que duramente se acostuma o intelectual europeu, a fim de chegar — como a uma expressão-chave de nosso tempo — à descontinuidade e ao arbitrário culturais em que no Brasil, bem contra a vontade, sempre se esteve.

    Escritor refletido e cheio de recurso, Alencar deu respostas variadas e muitas vezes profundas a esta situação. A sua obra é uma das minas da literatura brasileira, até hoje, e embora não pareça, tem continuidades no Modernismo. De *Iracema*, alguma coisa veio até *Macunaíma*: as andanças que entrelaçam as aventuras, o corpo geográfico do país, a matéria mitológica, a toponímia índia e a História branca; alguma coisa do *Grande sertão* já existia em *Til*, no ritmo das façanhas de Jão Fera; nossa iconografia imaginária, das mocinhas, dos índios, das florestas, deve aos seus livros muito da sua fixação social; e de modo mais geral, para não encompridar a lista, a desenvoltura inventiva e brasileirizante da prosa alencarina ainda agora é capaz de inspirar. Isso posto, é preciso reconhecer que a sua obra nunca é propriamente bem-sucedida, e que tem sempre um quê descalibrado e, bem pesada a palavra, de bobagem. É interessante notar contudo que estes pontos fracos são, justamente, fortes noutra perspectiva. Não são acidentais nem fruto da falta de talento, são pelo contrário prova de consequência. Assinalam os lugares em que o molde europeu, combinando-se à matéria local, de que Alencar foi simpatizante ardoroso, produzia contrassenso. Pontos portanto que são críticos para a nossa literatura e vida, manifestando os desacordos objetivos — as incongruências de ideologia — que resultavam do transplante do romance e da cultura europeia para cá. Iremos estudá-los no romance urbano de Alencar, para precisá-los, e ver em seguida a solução que Machado de Assis lhes daria. — Comentário curioso destes impasses encontra-se em Nabuco, o europeizante, que os percebia muito bem, por achá-los horríveis. Ao contrário do que dizem, a sua disputa com Alencar é pobre em reflexão e baixa nos recursos — "um *tête à tête* de gigantes", segundo Afrânio Coutinho; brigam até para ver quem sabe mais francês. Mas tem o interesse de reter uma situação. O realismo de Alencar inspirava a Nabuco dupla aversão: uma por não guardar as aparências, e outra por não desrespeitá-las com, digamos, a devassidão escolada e apresentável da literatura francesa. É como um cidadão viajado que voltasse para a sua cidade, onde o mortificam a existência de uma casa de mulheres, e o seu pouco requinte. As meninas alencarinas, com os seus arrancos de grande dama, lhe pareciam ao mesmo tempo inconvenientes e bobocas, nem românticas nem naturalistas, o que é bem percebido, embora pesando no prato estéril da balança.[6] As observações sobre o tema escravo e sobre o abrasileiramento da língua têm o mesmo teor. Se lhe aceitasse a crítica, Alencar escreveria ou romance edificante, ou romance europeu. Nabuco põe o dedo em fraquezas reais, mas para escondê-las; Alencar pelo contrário incide nelas tenazmente, guiado pelo senso da realidade, que o leva a sentir, precisamente aí, o assunto novo e o elemento brasileiro. Ao circunscrevê-las sem as resolver, não faz grande literatura, mas fixa e varia elementos dela — um exemplo a mais de como é tortuoso o andamento da criação literária.

Estudando a obra de Macedo, em que toma pé a tradição de nosso romance, Antonio Candido observa que ela combina o realismo da observação miúda, "sensível às condições sociais do tempo", e a máquina do enredo romântico. São dois aspectos de um mesmo conformismo, que interessa distinguir: adesão pedestre "ao meio sem relevo social e humano da burguesia carioca", e outro, "que chamaríamos poético, e vem a ser o emprego dos padrões mais próprios à concepção romântica, segundo acaba de ser sugerido: lágrimas, treva, traição, conflito". O resultado irá pecar por falta de verossimilhança: "Tanto que nos perguntamos como é possível pessoas tão chãs se envolveram nos arrancos a que [Macedo] as submete".[7] Como veremos, ligeira-

---

[6] Cf. *A polêmica Alencar-Nabuco*, especialmente as objeções de Nabuco a *Diva*.

[7] Ver na citada *Formação da literatura brasileira* os capítulos que tratam de romance. O seu conjunto compõe uma teoria da formação deste gênero no Bra-

mente ajustada, esta análise vale também para o romance urbano de Alencar. Antes, no entanto, voltemos aos seus elementos. A notação verista, a cor local exigida pelo romance de então, davam estatuto e curso literário às figuras e anedotas de nosso mundo cotidiano. Já o enredo — o verdadeiro princípio da composição — esse tem a sua mola nas ideologias do destino romântico, em versão de folhetim para Macedo e algum Alencar, e em versão realista para o Alencar do romance urbano de mais força. Ora, como já vimos o nosso cotidiano regia-se pelos mecanismos do favor, incompatíveis — num sentido que precisaremos adiante — com as tramas extremadas, próprias do Realismo de influência romântica. Submetendo-se ao mesmo tempo à realidade comezinha e à convenção literária, o nosso romance embarcava em duas canoas de percurso divergente, e era inevitável que levasse alguns tombos de estilo próprio, tombos que não levavam os livros franceses, já que a história social de que estes se alimentavam podia ser revolvida a fundo juntamente por aquele mesmo tipo de entrecho. — Vista segundo as *origens*, a disparidade entre enredo e notação realista representa a justaposição de um molde europeu às aparências locais (não importa, no caso, que estas aparências se tenham transformado em matéria literária por influência do próprio romantismo). Segundo passo, troque-se a origem no mapa-múndi pelas ideias que historicamente lhe correspondiam: teremos voltado, com mais clareza agora das razões subjacentes, ao problema próprio da *composição* — em

---

sil, e pode ser lido como uma introdução a Machado de Assis. Embora não faça parte da fase "formativa" de que trata o livro, e esteja mencionado só umas poucas vezes, Machado é uma das suas figuras centrais, o seu ponto de fuga: a tradição é considerada, ao menos em parte, com vistas no aproveitamento que Machado lhe dará. Para os trechos citados, ver pp. 140-2.

que ideologias românticas, de vertente seja liberal, seja aristocratizante, mas sempre referidas à mercantilização da vida, figuram como chave-mestra do universo do favor. Fiel à realidade observada (brasileira) e ao bom modelo do romance (europeu), o escritor reedita, sem sabê-lo e sem resolvê-la, uma incongruência central em nossa vida pensada. Note-se que não há consequência simples a tirar desta dualidade; em país de cultura dependente, como o Brasil, a sua presença é inevitável, e o seu resultado pode ser bom ou ruim. É questão de analisar caso por caso. Literatura não é juízo, é figuração: os movimentos de uma reputada chave que não abra nada têm possivelmente grande interesse literário. Veremos que em Machado de Assis a chave será aberta pela fechadura.

Senhora é um dos livros mais cuidados de Alencar, a sua composição vai nos servir de ponto de partida. Trata-se de um romance em que o tom varia marcadamente. Digamos que ele é mais desafogado na periferia que no centro: Lemos, pelintra e interesseiro tio da heroína, é gordinho como um vaso chinês e tem ar de pipoca; o velho Camargo é um fazendeiro barbaças, rude mas direito; dona Firmina, mãe de encomenda ou conveniência, estala beijos na face da menina a quem serve, e quando senta, acomoda "a sua gordura semissecular".[8] Noutras palavras, uma esfera singela e familiar, em que pode haver sofrimento e conflito, sem que ela própria seja posta em questão, legitimada que está pela natural e simpática propensão das pessoas à sobrevivência rotineira. Os negociantes são espertalhões, as irmãzinhas abnegadas, a parentela aproveita, vícios, virtudes e mazelas admitem-se tranquilamente, de modo que a prosa, ao descrevê-los, não perde a isenção. Não é conformista, pois não justifica, nem é pro-

---

[8] José de Alencar, *Senhora*, OC, vol. I, pp. 958, 966, 969, 1.065-6.

priamente crítica, pois não quer transformar. O registro sobe quando passamos ao círculo mundano, limitado aliás à mocidade casadoura — o que tem seu interesse, como se verá. Aqui presidem o cálculo do dinheiro e das aparências, e o amor. A hipocrisia, complexa por definição, combina-se à pretensão de exemplaridade própria desta esfera, e à de espontaneidade, própria ao sentimento romântico, saturando a linguagem de implicações morais. Espontaneamente, estas obrigam à reflexão normativa, à custa dos prazeres simples da evocação. A matriz distante são a sala e a prosa de Balzac. Finalmente, no centro deste centro, a voltagem vai ao teto quando está em cena Aurélia, a heroína do livro. Para esta herdeira bonita, inteligente e cortejada, o dinheiro é rigorosamente a mediação maldita: questiona homens e coisas pela fatal suspeita, a que nada escapa, de que sejam mercáveis. Simetricamente, exaspera-se na moça o sentimento da pureza, expresso nos termos da moralidade mais convencional. Pureza e degradação, uma é talvez fingida, uma é intolerável: lançando-se de um a outro extremo, Aurélia dá origem a um movimento vertiginoso, de grande alcance ideológico — o alcance do dinheiro, esse "deus moderno" — e um pouco banal; falta complexidade a seus polos. A riqueza fica reduzida a um problema de virtude e corrupção, que é inflado, até tornar-se a medida de tudo. Resulta um andamento denso de revolta e de profundo conformismo — a indignação do bem-pensante — que não é só de Alencar. É uma das misturas do século, a marca do dramalhão romântico, da futura radionovela, e ainda há pouco podia ser visto no discurso udenista contra a corrupção dos tempos. Mas voltemos atrás, para corrigir a distinção do princípio, entre o tom das personagens periféricas e das centrais. A questão não é gradual, é qualitativa. No caso das primeiras, trata-se de aproveitar as evidências do consenso, localista e muitas vezes burlesco, tais como a tradição, o hábito, o afeto, em toda a sua irregularidade,

as haviam consolidado. Seu mundo é o que é, não aponta para outro, diferente dele, no qual se devesse transformar, ou por outra ainda, não é problemático: exclui a intenção universalista e normativa, própria da prosa romântico-liberal da faixa de Aurélia. Veremos ainda que esta é a tonalidade de um romance importante em nossa literatura, as *Memórias de um sargento de milícias*. E nada impede, seja dito de passagem, que este consenso traga ele próprio a cunha de tradições literárias. No segundo caso, pelo contrário, procura-se perceber o presente como problema, como estado de coisas a recusar. Esta a razão do peso maior, da "seriedade" destas passagens — ainda que literariamente seja sempre um alívio quando Alencar volta à outra maneira, que lhe dá páginas de muita graça e força narrativa. Entretanto, é neste segundo estilo carregado de princípios, polarizado pela alternância de sublime e infâmia, que ele se filia à linha forte do Realismo de seu tempo, ligada, justamente, ao esforço de figurar o presente em suas contradições; em lugar de dificuldades locais, as crispações universais da civilização burguesa. É este o estilo que irá prevalecer. Resumindo, digamos que em *Senhora* a reflexão toma o alento e a maneira à esfera mundana, do dinheiro, da carreira, dando-lhe por conseguinte a primazia na composição. Como as grandes personagens da *Comédia humana*, Aurélia vive o seu dilaceramento e procura expressá-lo, transformando-o em elemento intelectual da existência comum, e em elemento formal — como se verá, a propósito do enredo — responsável pelo fechamento do romance. No entanto, esse tom reflexivo e problemático, bem realizado em si mesmo, não convence inteiramente, e é infeliz em seu convívio com o outro. Faz efeito pretensioso, tem alguma coisa descabida, que interessa analisar em mais detalhe.

Observe-se, quanto a isto, que predominância formal e peso social em *Senhora* não coincidem. Se é natural, por exemplo, que a cena mundana esteja em oposição à província e à pobreza, é esquisito que inclua pequenos funcionários e filhas de comerciantes remediados. E é esquisitíssimo que exclua os adultos: nas festas da Corte, as mães nunca são mais que respeitáveis senhoras, que vigiam as filhas e não cansam de criticar os modos desenvoltos de Aurélia, "impróprios de meninas bem-educadas".[9] Como aliás os homens, que são caricaturas, desde que não sejam rapazes. Em suma, o tom da moda é reservado à mocidade núbil e bem-posta, de que é o ornamento, mas não é a síntese da experiência social de uma classe, além de ser malvisto se vai longe. Não tem curso entre as pessoas que já sejam sérias, as quais por sua vez, ficam excluídas do brilho literário, e do movimento de ideias que deve sustentar e arrematar o romance. Por sua composição, portanto, o livro se confina aos limites da frivolidade, a despeito de seu andamento ambicioso, que fica prejudicado. Este desacordo não existe no modelo; para sentir a diferença, basta lembrar a importância que têm o adultério madurão, a política, as arrogâncias do poder, na cena mundana de Balzac. Alencar conserva-lhe o tom e vários procedimentos, porém deslocados pelo quadro local, imposto pela verossimilhança. Adiante, voltaremos à diferença. Agora, vejamos a complexidade, a variedade de aspectos deste empréstimo. Inicialmente é preciso retirar, mas não de todo, o sentido pejorativo a esta noção. Considere-se o que significava, como atualização e desenvoltura, fazer que uma personagem, mulher ainda por luxo, tratasse livremente das questões de que então, ou pouco antes, tratara o Realismo europeu. Em certo sentido muito claro, é um feito, seja qual for o resultado literário. Algo semelhante, para a geração dos que fizeram 20 agora, nos anos 60, ao salto dos manuais de filosofia e sociologia, em

---

[9] *Senhora*, p. 952.

língua espanhola, para os livros de Foucault, Althusser, Adorno. Entre uma alienação antiga e outra moderna, o coração bem formado não hesita. Ficava para trás a imitação miúda e complacente, o romancista obrigava-se a uma concepção das coisas, impunha nível contemporâneo à reflexão. O romance alcançava a seriedade que a poesia romântica já havia alcançado há mais tempo. Finalmente, considere-se o próprio movimento da imitação, que é mais complicado que parece. No prefácio de *Sonhos d'ouro*, escreve Alencar: "Tachar estes livros de confeição estrangeira é, relevem os críticos, não conhecer a sociedade fluminense, que aí está a faceirar-se pelas salas e ruas com atavios parisienses, falando a algemia universal, que é a língua do progresso, jargão erriçado de termos franceses, ingleses, italianos, e agora também alemães./ Como se há de tirar a fotografia desta sociedade, sem lhe copiar as feições?".[10] O primeiro passo portanto é dado pela vida social, e não pela literatura, que vai imitar uma imitação.[11] Mas fatalmente o progresso e os atavios parisienses inscreviam-se aqui noutra pauta; retomando o nosso termo do início, são ideologia de segundo grau.[12] Chega o romancista, que é parte ele próprio desse movimento faceiro da sociedade, e não só lhe co-

---

[10] *Obra completa*, vol. I, p. 699.

[11] A situação é comparável à de Caetano Veloso cantando em inglês. Acusado pelos "nacionalistas", responde que não foi ele quem trouxe os americanos ao Brasil. Sempre quis cantar nesta língua, que ouvia no rádio desde pequeno. E é claro que cantando inglês com pronúncia nortista registra um momento substancial de nossa história e imaginação.

[12] Comentando os hábitos de consumo no Brasil de fins de século, Warren Dean observa que o comércio importador transformava em artigos de luxo os produtos que a industrialização tornara correntes na Europa e Estados Unidos. Cf. *A industrialização de São Paulo*, São Paulo, Difel, 1971, p. 13.

pia as novas feições, copiadas à Europa, como as copia segundo a maneira europeia. Ora, esta segunda cópia disfarça, mas não por completo, a natureza da primeira, o que para a literatura é uma infelicidade, e lhe acentua a veia ornamental. Adotando forma e tom do romance realista, Alencar acata a sua apreciação tácita da vida das ideias. Eis o problema: trata como sérias as ideias que entre nós são diferentes; como se fossem de primeiro, ideologias de segundo grau. Soma em consequência do lado empolado e acrítico — a despeito do assunto escandaloso — desprovido da malícia sem a qual o tom moderno entre nós é inconsciência histórica. Ainda uma vez chegamos ao nó que Machado de Assis vai desatar.

Em suma, também nas Letras a dívida externa é inevitável, sempre complicada, e não é parte apenas da obra em que aparece. Faz figura no corpo geral da cultura, com mérito variável, e os empréstimos podem facilmente ser uma audácia moral ou política, e mesmo de gosto, ao mesmo tempo que um desacerto literário. Qual destes contextos importa mais? Nada, a não ser a deformação profissional, obriga ao critério unicamente estético. Assim, procuramos assinalar um momento de desprovincianização, a disposição argumentativa na tonalidade que predomina em *Senhora*, e nem por isso deixaremos de revê-lo adiante em luz desfavorável, nem lhe disfarçaremos a fraqueza, do ponto de vista da construção. Mas voltemos atrás: no gesto, o andamento do livro é audacioso e inconciliável, gostaria de ser uma voz na altura do tempo; já seu lugar na composição, pelo contrário, faz ver neste impulso grave uma prenda de sala. A última palavra no caso é a segunda. Por alguma razão, que o leitor já agora adivinha, a dura dialética moral do dinheiro se presta ao galanteio da mocidade faceira, mas não afeta o fazendeiro rico, o negociante, as mães burguesas, a governanta pobre, que se orientam pelas regras do favor ou da brutalidade simples. Contudo, são estas as personagens que tornam povoado o romance. Embora secundárias, compõem o traçado social em que circulam as figuras centrais, de cuja importância serão a medida. Noutras palavras, nosso procedimento foi o seguinte: filiamos o andamento do romance — depois de caracterizá-lo — ao círculo restrito que exprime, tudo sempre nos termos que o próprio romance propõe. Em seguida vimos como fica este círculo, se considerado relativamente, no lugar que lhe cabe no espaço social, também ele de ficção. Qual a autoridade do seu discurso? O que decide é o refluxo desta segunda vista: diante dela, o tom do livro e a pretensão que o anima fazem efeito infundado. A sua dicção desdiz da sua composição. O oposto justamente do que se observa no modelo: a maneira sensacionalista e generalizante de Balzac, tão construída e forçada, liga-se a extraordinário esforço de *condensação*, e de fato vai se tornando menos incômoda à medida que nos convencemos de sua continuidade profunda com os inúmeros perfis ocasionais, de "periferia", que deslocam, refletem, invertem, modificam — em suma, trabalham — o conflito central, que duma forma ou doutra é o de todos.[13] Seja por exemplo o discurso desabusado e "centralíssimo" dalguma de suas grandes damas: é

---

[13] "Comparada a outras formas de representação, a multiplicidade de Balzac é a que mais se aproxima da realidade objetiva. Contudo, quanto mais se aproxima desta, mais se afasta da maneira habitual, cotidiana ou média de espelhá-la diretamente. De fato, o método balzaquiano abole os limites estreitos, costumeiros, rotineiros desta *reprodução imediata*. Contraria assim as facilidades habituais na maneira de considerar a realidade, e por isso mesmo é sentido por muitos como sendo 'exagerado', 'sobrecarregado' etc. [...] Aliás o seu engenho não se limita às formulações brilhantes e picantes; antes manifesta-se na revelação bem marcada do essencial, na tensão extrema dos elementos contrários que o compõem." G. Lukács, *Balzac und der Franzoesiche Realismus*, Werke, vol. VI, p. 483.

revoltoso, futriqueiro, vulnerável, calculista, destemido, como o serão, quando aparecerem "casualmente", o criminoso, a costureira, o pederasta, o banqueiro, o soldado. O andamento vertiginoso afasta-se do natural, beira bastante o ridículo, mas avaliza esta distância — o seu nível de abstração — com grande lastro de conhecimentos e experiência, que ultrapassa de muito a latitude individual, e não é fato apenas literário: é a soma de um processo social de reflexão, na perspectiva, digamos, do homem de espírito. É este o cinquentão vivido e sociável que segundo Sartre é o narrador do realismo francês.[14] Dos pressupostos históricos desta forma falaremos adiante. Por agora basta-nos dizer que esta reflexão se alimentava de um processo real, novo, também ele vertiginoso e pouco "natural", que revirava de alto a baixo a sociedade europeia, frequentando igualmente a brasileira, cuja medula no entanto não chegava a transformar: trata-se da generalização — com seus infinitos efeitos — da forma-mercadoria, do dinheiro como nexo elementar do conjunto da vida social. É a dimensão gigantesca, ao mesmo tempo global e celular deste movimento, que irá sustentar a variedade, a mobilidade tão teatral da composição balzaquiana — permitindo o livre trânsito entre áreas sociais e de experiência aparentemente incomensuráveis. Em resumo, herdávamos com o romance, mas não só com ele, uma postura e dicção que não assentavam nas circunstâncias locais, e destoavam delas. Machado de Assis iria tirar muito par-

---

[14] J.-P. Sartre, "Qu'est-ce-que la littérature?", *Situations* II, Paris, Gallimard, 1948, pp. 176 ss. Para um condensado cômico dos tiques balzaquianos, ver a incomparável imitação que deles faz Proust, em *Pastiches et mélanges*. O aspecto desfrutável e sedativo das generalizações de Balzac é mencionado por Walter Benjamin, no estudo sobre *o Flâneur*, *in Charles Baudelaire*, Frankfurt/M., Suhrkamp, 1969, pp. 39-40.

tido deste desajuste, naturalmente cômico. Para indicar duma vez a linha de nosso raciocínio: o temário periférico e localista de Alencar virá para o centro do romance machadiano; este deslocamento afeta os motivos "europeus", a grandiloquência séria e central da obra alencarina, que não desaparecem, mas tomam tonalidade grotesca. Estará resolvida a questão. Mas voltemos a *Senhora*. Nosso argumento parece talvez arbitrário: como podem umas poucas personagens secundárias, ocupando uma parte pequena de um romance, qualificar-lhe decisivamente o tom? De fato, se fossem eliminadas, desaparecia a dissonância. Mas restaria um romance francês. Não é a intenção do Autor, que pelo contrário queria nacionalizar o gênero. Entretanto, o pequeno mundo secundário, introduzido como cor local, e não como elemento ativo, de estrutura — uma franja, mas sem a qual o livro não se passa no Brasil — desloca o perfil e o peso do andamento de primeiro plano. Eis o que importa: se o traço local deve ter força bastante para enraizar o romance, tem-na também para não lhe deixar incontrastada a dicção. Pelas razões que vimos e por outras que veremos, esta passa a girar em falso. Noutras palavras, o problema artístico, da unidade formal, tem fundamento na singularidade de nosso chão ideológico e finalmente, através dele, em nossa posição dependente-independente no concerto das nações — ainda que o livro não trate de nada disso. Expressa literariamente a dificuldade de integrar as tonalidades localista e europeia, comandadas respectivamente pelas ideologias do favor e liberal. Não que o romance pudesse eliminar de fato esta oposição: mas teria de achar um arranjo, em que estes elementos não compusessem uma incongruência, e sim um sistema regulado, com sua lógica própria e seus — nossos — problemas, tratados na sua dimensão viável.

Menos que explicar, o que fizemos até aqui foram atribuições: um tom para cá, outro para lá, o enredo para a Europa, as anedotas para o Brasil etc. Para escapar aos acasos da paternidade, contudo, é preciso substituir a contingência da origem geográfica pelos pressupostos sociológicos das formas, estes sim atuais e indescartáveis. Mais precisamente, digamos que do conjunto mais ou menos contingente de condições em que uma forma nasce, esta retém e reproduz algumas — sem as quais não teria sentido — que *passam a ser o seu efeito literário*, o seu "efeito de realidade",[15] o mundo que significam. Eis o que interessa: passando a pressuposto sociológico uma parte das condições históricas originais reaparece, com sua mesma lógica, mas agora no plano da ficção e como resultado formal. Neste sentido, formas são o abstrato de relações sociais determinadas, e é por aí que se completa, ao menos a meu ver, a espinhosa passagem da história social para as questões propriamente literárias, da composição — que são de lógica interna e não de origem. Dizíamos por exemplo que em *Senhora* há duas dicções, e que uma prevalece indevidamente sobre a outra. O leitor cordato provavelmente reconheça, porque acha também a semelhança, que uma delas vem do Realismo europeu, enquanto a outra é mais presa a uma oralidade familiar e localista. Como explicação, porém, este reconhecimento não chega ao problema. Por que razão não seriam compatíveis as duas maneiras, se incompatibilidade é um fato formal, e não geográfico? E por que não pode ser brasileira a forma do Realismo europeu? Questão esta última que tem o mérito de inverter a perspectiva: depois de vermos que origem não é argumento, fica indicado quanto é decisivo o seu peso real. Enfim, uns tantos empréstimos formais importantes, indicados os pressupostos da forma emprestada, que vieram a ser o seu efeito; descrição das matérias a que esta forma esteja sendo aplicada; e por

---

[15] Expressão de Althusser, mas com outra filosofia.

fim os resultados literários deste deslocamento — serão estes os nossos tópicos.

Para começar, vejamos o desenrolar da história. — Aurélia, moça muito pobre e virtuosa, ama a Seixas, rapaz modesto e um pouco fraco. Seixas pede-a em casamento, mas depois desmancha, em favor de outra que tem um dote. Aurélia herda de repente. Teria perdoado a Seixas a inconstância, mas não lhe perdoa o motivo pecuniário. Sem dizer quem é, manda oferecer ao antigo noivo um casamento no escuro, com dote grande, mas contra recibo. O rapaz, que está endividado, aceita. É onde começa propriamente o enredo principal. Para humilhar o amado e vingar-se, mas também para pô-lo em brios e finalmente por sadismo — de tudo isso há um pouco — Aurélia passa a tratar o marido recém-comprado como a uma propriedade: reduz o casamento de conveniência a seu aspecto mercantil, cujas implicações por suprema ofensa vão comandar a trama. A tal ponto, que as quatro etapas da história são chamadas "O Preço", "Quitação", "Posse", "Resgate". Como indica este rigorismo na condução do conflito, enredo e figura são de linhagem balzaquiana. Com abundância de reflexão e sofrimento levam à improvável consequência última (embora haja uma conciliação no final, de que ainda falaremos) um grande tema da ideologia contemporânea. Aurélia é da família férrea e absoluta dos vingadores, alquimistas, usurários, artistas, ambiciosos etc., da *Comédia humana*; como eles, agarra-se a uma questão — dessas que haviam cativado a imaginação do século — fora da qual a vida passa a lhe parecer vazia. Em consequência, lógica e destino histórico dalguma ideia reputada tornam-se elementos determinantes na organização do entrecho, ganham força de princípio formal — entre outros. Não que as personagens encarnem uma noção abstrata, como Harpagão encarnara a avareza. Mas uma abstração — que vai combinar-se a toda sorte de particularidades de biologia, de psicologia e posição na sociedade — é elemento voluntário e problemático de sua equação pessoal: decide-lhes o destino. Como um clarão em céu noturno, estas figuras reflexivas e enfáticas riscam a paisagem social, e deixam, além da vertigem de seu movimento, o traçado implacável das contradições que opõem a sociedade a seus ideais. Retomando nosso fio, trata-se dum modelo narrativo em cuja matéria entram necessariamente as ideologias de primeiro grau — certezas tais como a igualdade, a república, a força redentora de ciência e arte, o amor romântico, mérito e carreira pessoal, ideias enfim que na Europa oitocentista sustentam sem despropósito o valor da existência.[16] Neste sentido, o romance realista foi uma grande máquina de desfazer ilusões. Para compreender-lhe a importância é preciso vê-lo em conjunto, em movimento, atravessando fronteiras nacionais, desrespeitando a hierarquia dos assuntos: uma a uma vai desdobrando as convicções mais caras ao seu tempo, as combina às figuras mais fortes e dotadas, e deixa que se quebrem — ao longo do enredo — contra a mecânica sem perdão da economia e das classes sociais. Daí o peso intelectual deste movimento, sua postura audaciosa, amiga de verdade — retomada por Alencar. Eis o nosso problema que torna: importávamos um molde, cujo efeito involuntário é de dar às ideias estatuto e horizonte — timbre, energia, crise — em desacordo com o que a vida brasileira lhes conferia. Ou, do ponto de vista da composição: sem correspondência na construção das personagens secundárias, respon-

---

[16] Para exemplo leiam-se as páginas de Lukács sobre o papel do Romantismo no romance realista. Sendo uma ideologia espontânea do inconformismo anticapitalista do séc. XIX, a visão romântica era matéria de romance por assim dizer obrigatória; ideologia de personagens e clima literário, que o enredo destroça. Cf. "Balzac, crítico de Stendhal", *op. cit.*.

sáveis pela cor local. Que diria a estas figuras, interessadas sobretudo em arranjar a sobrevivência, o discurso universalizante e polêmico de Aurélia? Veremos como a própria audácia realista, nestas circunstâncias, terá transformado o seu sentido.

Para outro exemplo, considere-se o "maquiavelismo" de Aurélia, a desenvoltura com que ela se beneficia da engrenagem social. A moça, que tivera a sorte de herdar, enoja-se a princípio com a venalidade dos rapazes. Depois, pensando bem, faz um plano e compra o marido de seu coração. A vítima do dinheiro vai à sua escola, e confia-lhe finalmente — aos seus mecanismos odiosos — a obtenção da felicidade. Alinha assim no campo ilustre das criaturas "superiores", que escapam ao império de fortuna e carreira na medida em que alcançaram compreendê-lo e manobrar em proveito próprio. A seu tempo e em seu lugar estas personagens, de que está cheia a ficção realista, foram figuras da verdade. Livravam-se de tradições envelhecidas, não eram enganadas pela moral, e pagavam a sua clarividência com o endurecimento do coração. Trata-se de uma situação básica do romance oitocentista: as veleidades amorosas e de posição social, propiciadas pela revolução burguesa, chocam-se contra a desigualdade, que embora transformada continua um fato; é preciso adiá-las, calcular, instrumentalizar a si e aos outros... para afinal descobrir, quando riqueza e poder tiverem chegado, que não está mais inteiro o jovem esperançoso dos capítulos iniciais. Com mil variações, esta fórmula em três tempos será capital. Entre os ardores do princípio e a desilusão do fim, sempre o mesmo interlúdio, de vigência irrestrita dos princípios da vida moderna: a engrenagem do dinheiro e do interesse "racional" faz o seu trabalho, anônimo e determinante, e imprime o selo contemporâneo à travessia de provações que é o destino imemorial dos heróis. São as consequências, na perspectiva do individualismo burguês, da generalizada precedência do valor de troca sobre o valor de uso — também chamada alienação — a qual se transforma em pedra de toque para a interpretação dos tempos. Efeito literário e pressuposto social desse enredo, do momento de cálculo que é a sua alavanca, estão na autonomia — sentida como coisificação, como esfriamento — das esferas econômica e política, as quais parecem funcionar separadas do resto, segundo uma racionalidade "desumana", de tipo mecânico. Para a economia a causa está no automatismo do mercado, a que objetos e força de trabalho estão subordinados ao mesmo título, e que do ponto de vista do mérito pessoal é uma arbitrária montanha russa. Quanto à política, no período histórico aberto pelo estado moderno, conforme ensinamento de Maquiavel, as suas regras nada têm a ver com normas de moral. Nas duas esferas, como também na da carreira, que em certo sentido é intermediária, a vida social vem afetada de sinal negativo e implacável, e é em conflito com ela que alguma coisa se salva.[17] Esta, e não outra, é a paisagem na qual tem poesia o descompromisso romanesco, às vezes exaltante, às vezes sinistro, entre indivíduo e ordem social. Solitárias e livres, um desígnio atrás da testa, as personagens de romance planejam os seus golpes financeiros, amorosos ou mundanos. Uns triunfam pela inteligência e dureza, outros pelo casamento ou pelo crime, outros ainda fracassam, e finalmente existem os simbóli-

---

[17] "É somente com o séc. XVIII e na 'sociedade burguesa' que as diferentes formas do relacionamento social se deparam ao indivíduo como sendo simples instrumentos para a consecução de suas finalidades privadas e como necessidade externa." K. Marx, "Einleitung", *in Grundrisse der Kritik der politischen Oekonomie*, Frankfurt/M., Europaeische Verlagsanstalt, s.d., p. 6. Cf. também G. Lukács, *Die Theorie des Romans*, Neuwied, Luchterhand, 1962, e *Geschichte und Klassenbewusstsein*, Werke, vol. II, cap. 4; Lucien Goldmann, *Pour une sociologie du roman*, Gallimard, 1964.

cos, que fazem um pacto com o diabo. Em todas uma certa grandeza, digamos satânica, vinda de sua radical solidão e do firme propósito de usar a cabeça para alcançar a felicidade. Mesmo Seixas, um neto atenuado de Rastignac, faz um cálculo desse tipo: tratam-no como mercadoria? aceita o papel, e com tal rigor, que Aurélia exasperada e finalmente derrotada pela sua obediência acaba implorando que ele volte a se comportar como um ser humano. — Em termos de nosso problema: são fábulas que devem a sua força simbólica a um mundo que no Brasil não tivera lugar. Sua forma é a metáfora tácita da sociedade desmitologizada (*entzaubert*, na expressão de Max Weber) e mistificada que resulta da racionalidade burguesa, ou seja, da generalização da troca mercantil.

Isso posto, só em teoria dá-se o confronto direto entre uma forma literária e uma estrutura social, já que esta, por ser ao mesmo tempo impalpável e real, não comparece em pessoa entre as duas capas de um livro. O fato de experiência, propriamente literário, é outro, e é a ele que a boa teoria deve chegar: está no acordo ou desacordo entre a forma e a matéria a que se aplica, matéria que esta sim é marcada e formada pela sociedade real, de cuja lógica passa a ser a representante, mais ou menos incômoda, no interior da literatura. É a forma desta matéria, portanto, que vai nos interessar, para confronto com a outra, que a envolve. Quais então estes embriões formais, que asseguram a fidelidade localista e contrastam as certezas em que assenta o modelo — que imitávamos — do romance europeu? Falávamos, páginas atrás, de um "tom mais desafogado". Voltemos ao problema, a propósito agora do enredo. — A parte inicial do romance, chamada "O Preço", termina em suspense e clímax, na noite mesma do casamento: Seixas "modulava o seu canto de amor, essa ode sublime do coração", quando Aurélia o interrompe e lhe declara, de recibo na mão, que ele é um "homem vendido". Frente a frente "as castas primícias do santo amor conjugal" e os intoleráveis "cem contos de réis" do dote. Nos limites do primarismo vibrante que a ideologia romântica havia consagrado, não podia estar mais carregado o antagonismo entre ideal e dinheiro.[18] Fim de capítulo. Já a segunda parte abre singela e descontraidamente, noutro registro, muito beneficiada pelo contraste. Volta atrás no tempo, a fim de contar a história de Aurélia e de sua família, das origens modestas até a herança de mil contos. Saímos da esfera elegante, a cena agora é pobre, de bairro ou de interior. Como se verá, as histórias aqui — subenredos que não chegam a determinar a forma do livro — são de outra espécie. Pedro Camargo por exemplo é filho natural de um fazendeiro abastado, a quem teme mais que a morte. Vem à Corte para estudar medicina. Gosta de uma moça pobre, não tem coragem de contar ao pai, casa com ela em segredo — que foge de casa, pois também na família dela há oposição, já que o rapaz não é filho legitimado e pode não herdar. Do casamento nascem Aurélia e um menino de "espírito curto".[19] Sempre com medo de confessar ao velho, volta o estudante à fazenda, onde acaba morrendo. Deixa mulher e filhos no Rio, na posição equívoca da família sem pai conhecido. As mulheres costuram para viver, o filho vira caixeiro etc. Observe-se, neste sumário, que embora estejam presentes os elementos do romance realista, a diferença é total: nem o avô — de quem Aurélia irá herdar a fortuna mais adiante — faz figura detestável por ter filhos naturais, nem o filho é condenado em nome do Amor que não moveu montanhas, ou da Medicina, que não era uma vocação, nem a sua mulher é diminuída por ter desrespeitado família e conveniências, e nem a família dela, que afinal

---

[18] *Senhora*, pp. 1.026, 1.028-9.

[19] *Idem*, p. 1.038.

de contas era pobre e numerosa, pode condenar-se porque não incorpora um estudante sem tostão. Noutras palavras, amor, dinheiro, família, compostura, profissão, não estão aqui naquele sentido absoluto, de sacerdócio leigo, que lhes dera a ideologia burguesa e cuja exigência imperativa dramatiza e eleva o tom à parte principal do livro. Não são ideologia de primeiro grau. As consequências formais são muitas. Primeiramente baixa a sua tensão, que perde a estridência normativa, e com ela a posição central, de linha divisória entre o aceitável e o inaceitável. Não sendo um momento obrigatório e coletivo do destino, o conflito ideológico não centraliza a economia narrativa, em que irá fazer figura circunstancial, de incidente. Nem permite o amálgama de individualismo e Declaração dos Direitos do Homem, de que depende, para a sua vibração, o enredo clássico do romance realista. As soluções não são de princípio, mas de conveniência, e conformam-se à relação de forças do momento. Arranjos que no mundo burguês seriam tidos como degradantes, nesta esfera são como coisas da vida. Note-se também o caráter episódico da história, a dispersão de seus conflitos, que de fato supõem a mencionada distensão, sem a qual a poesia do andamento errático, tão brasileira, ficaria anuviada de moralismo. Para a prosa, resulta que a sua qualidade literária não será da ordem da força crítica e do problema, mas antes da felicidade verbal, de golpe de vista, de andamento, virtudes estas diretamente miméticas, que guardam contato simpático e fácil com a fala e as concepções triviais. Uma fuga de acontecimentos, evocada com arte e indefinidamente prolongável, que vem desembocar nalguma coisa como o repertório dos destinos sugestivos neste mundo de Deus. Estamos próximos da oralidade e talvez do "causo", estrutura mais simples que a romanesca, mas afinada com as ilusões — também elas individualistas — de nosso universo social. Um complemento literário da predominância ideológica do favor: a falta de absolutismo nas normas reflete, se podemos dizer assim, a arbitrariedade do arbítrio, ao qual é preciso se acomodar. Daí o encanto para modernos desta maneira narrativa, em que os Absolutos que ainda hoje nos vampirizam a energia e o moral aparecem relativizados, referidos que estão ao fundo movediço e humano — repetimos que ilusório — dos arranjos pessoais. Para conceber enfim a distância ideológica transposta nesta mudança de registro, digamos que ela corta ou dá circuito, como um comutador, nada menos que ao fetichismo próprio à civilização do Capital; — fetichismo que isola e absolutiza os chamados "valores" (Arte, Moral, Ciência, Amor, Propriedade etc., e sobretudo o próprio valor econômico), e que ao separá-los do conjunto da vida social tanto os torna irracionais em substância, quanto depositários, para o indivíduo, de toda a racionalidade disponível: uma espécie de fisco insaciável, a quem devemos e pagamos conscienciosamente a existência.[20]

---

[20] Para a construção do contraste entre narrativa pré-capitalista e romance — feita sobre o fundo da transição do artesanato à produção industrial, transição que não é a brasileira — veja-se o admirável ensaio de Walter Benjamin sobre o narrador, *in Schriften*, vol. II, Frankfurt/M., Suhrkamp, 1955. Idealmente e arriscando, digamos que o "causo" submete à experiência de seus ouvintes, e à tradição em que estes se entroncam, a simplicidade inesgotável de uma anedota. Experiência e tradição compostas elas também de anedotas, às quais a mais recente, mal foi contada, já está se incorporando. Uma história, destacada com habilidade sobre o fundo vário do repertório que compõe a sabedoria comum, eis a poesia deste gênero — de que está banido o conhecimento conceitual, o conhecimento que não tenha caução vivida ou tradução noutra anedota. O contrário do que se passa com o romance, cujas aventuras são atravessadas e explicadas pelos mecanismos gerais mas contraintuitivos da sociedade burguesa: a poesia deste está na conjunção "moderna" e artisticamente difícil de experiência viva, naturalmente a fim do esforço mimético, e do conhecimento abstrato e crítico, referido sobretudo à

Um só romance, mas dois efeitos de realidade, incompatíveis e superpostos — eis a questão. Aurélia sai fora do comum: seu trajeto irá ser a curva do romance, e as suas razões, que para serem sérias pressupõem a ordem clássica do mundo burguês, são transformadas em princípio formal. Já à volta dela, o ambiente é de clientela e proteção. O velho Camargo, Dona Firmina e o Sr. Lemos, o decente Abreu e o honesto Dr. Torquato, a família de Seixas, as facilidades que este encontra para arranjar sinecuras —, são personagens, vidas, estilos que implicam uma ordem inteiramente

---

predominância social do valor de troca e às mil variantes da contradição entre igualdade formal e desigualdade real. A dureza e a consequência lógica estão entre as suas marcas de qualidade. Digamos portanto que no romance o incidente é atravessado de generalização, mas que a sua generalidade é referida a um tipo particular de sociedade, ou melhor, a uma etapa histórica da mesma, cifrada no conflito central. Já no causo, o incidente é puro de explicação, e no entanto vai inscrever-se — a despeito de seu total localismo — no tesouro a-histórico e genérico das motivações e dos destinos de nossa espécie, vista segundo a ideia da diversidade dos homens e dos povos, e não da transitoriedade dos regimes sociais. O causo contribui para uma casuística das situações humanas e das tradições regionais: serve para desasnar e divertir, fortifica e ajuda a viver a quem o saiba ouvir. Enquanto o romance, que pelo contrário só desilude, tem compromisso com a verdade sobre a vida numa formação social determinada, e faz parte de um movimento de crítica mesmo quando não o queira. Forma histórica entre todas — à qual se incorpora livremente o conhecimento dito científico, em especial de história, psicologia e economia, além da intenção do retrato de época e de denúncia — o romance pôde barrar até certo ponto, entre nós, a figuração literária do país. Eis o paradoxo. Enquanto o causo, incomparavelmente menos diferenciado e banhando no caudal quase eterno e inespecífico da narrativa oral, combina a concepção a-histórica — os enleios da vida — e o apreço desimpedido pela reprodução da circunstância, que lhe permite um realismo que entre nós o Realismo de tradição literária não só não alcançava, como dificultava. No entanto, é claro que Alencar não é um contador de causos, já porque escreve. Por uma destas falsidades felizes da litera-

diversa. Formalmente, o privilégio cabe à ordem do enredo. Artisticamente, tal privilégio não se materializa, pois Alencar não completa a preeminência formal dos valores burgueses com a crítica da ordem do favor, de que é admirador e amigo. Assim, a forma não só fica sem rendimento, como é restringida em sua vigência: o sinal negativo que por lógica e ainda tacitamente ela aporia à matéria de que diverge, é desautorizado, contrabalançado pelas boas palavras. *Ora, o revezamento de pressupostos incompatíveis quebra a espinha à ficção.* Uma base dissociada, a que

---

tura romântica, ele combina a veia popular autêntica ao romantismo moderno e *restaurativo* da evocação, cujo ritmo respirado e largo constrói a simbiose de meditação e espontaneidade — a ligação profunda e natural com natureza e comunidade, fingida na postura "visionária" — que é a poesia da escola e o sentimento do mundo que ela opõe à sociedade burguesa. Em estado puro este segundo movimento da imaginação encontra-se em *Iracema*, onde jamais o mundo evocado se deixa estar na distância indiferente da objetividade. Frase a frase, ou pouco menos, a imagem está sempre passando, aproximando-se, desaparecendo ao longe, compensando outra anterior, no espaço, no tempo, na afeição — mobilidade "inspirada" que desfaz a esclerose da objetividade pura e restitui o elemento interessado e palpitante em memória e percepção. Neste sentido vejam-se também *O guarani* e a bela descrição inicial de *O tronco do ipê*. Guardadas as proporções, é o ritmo da grande meditação romântica, em que à custa de silêncio e intensidade mental a complexidade do mundo é apreendida e retida, para recompor-se — em minutos de plenitude e clareza exaltadas — segundo a ordem fluente, não mutilada, da imaginação. Note-se porém nestas visões, por afirmativas que sejam, nos poetas ingleses ou em Hölderlin por exemplo, que é sempre irreal o mundo que compõem — o mundo instável e fremente da visualização governada pelo sentido interior — cuja plenitude "devolve" aos homens o sentimento da natureza e da vida que a sociedade moderna lhes teria tomado. Aí uma diferença importante: a natureza alencarina tem muito disso, é efetivamente repassada de nostalgia, mas por instantes lhe acontece de ser a paisagem brasileira e mais nada. Onde os românticos, polemizando contra o seu tempo, imaginariamente repristinavam percepção e

irão corresponder no plano literário a incoerência, o tom postiço e sobretudo a desproporção. Se em Balzac os medianos olham medusados para os radicais, que são a sua verdade concentrada — os "tipos", de que fala Lukács — em Alencar olham com espanto para Aurélia, cuja veemência parece despropósito a alguns, gracinha de sala a outros, literatura importada aos dois. O aspecto programático dos sofrimentos dela, que lhes deveria avaliar a dignidade mais que pessoal, faz efeito de veleidade isolada, de capricho de moça. Ora, amor, dinheiro ou aparências não sen-

---

natureza, Alencar contribui para a glória de seu país, cantando-lhe a paisagem e ensinando os patrícios a vê-la. O sortilégio romântico serve-lhe de fato para valorizar a sua terra, e não para redescobri-la contra os contemporâneos menos sensíveis. Assim, a exaltação romântica da natureza veio a perder entre nós a sua força negativa, e acabou fixando o padrão de nosso patriotismo em matéria de paisagem. O prestígio duma escola literária moderna consagrava a terra, que outros consideravam rude, e a descoberta de nossa terra consagrava a verdade da escola literária (A. Candido, *op. cit.*, vol. II, p. 9). Com grande satisfação e senso de progresso as nossas elites punham-se em dia com o sentimento que manda desesperar da civilização. É o que se chama ser um jovem país. Daí a superposição tão esquisita em *Iracema*, de poesia da distância, que doura de romantismo os nomes índios e os acidentes geográficos, e de intenção propriamente informativa e propagandística — superposição que dá margem a uma zona de indiferença entre literatura e ufanismo, ou nostalgia e cartão postal, combinação recuperada em veia humorística, e só então verdadeira, na poesia inicial dos Modernistas. Em versão ignóbil, pois destituída de ingenuidade, a confusão de paraíso e país empírico — a "mentirada gentil" de que falava Mário de Andrade — hoje alimenta a propaganda oficial. — Seja como for, o sopro da meditação romântica chegou também até o romance realista, embora diluído pela prosa extensa e contrariado pelo assunto mundano. Em lugar da natureza e do vilarejo, a totalidade desenvolvida do mundo social: para oferecer o equivalente da plenitude contemplativa do poeta, o romancista obriga-se a fundir em sua prosa a necessária massa de conhecimentos fatuais, a sua elaboração analítica e crítica, e finalmente o movimento desimpedido da reflexão — sín-

do absolutos e exclusivos, nada mais razoável que levar em conta os três aspectos, e mais outros, na hora de casar; o conflito que os absolutiza parece desnecessário e sem natural. Idem para a prosa, que parece exagerada. E mesmo do ponto de vista da coerência linear haverá dificuldades, pois embora seja boa moça, compassiva e desprendida, Aurélia despede chispas de fulgor satânico e aplica rigorosamente a moral do contrato. Alguém dirá que é a dialética, Shylock e Portia numa só personagem. Não é, pois se há movimento entre os termos, movimento até vertiginoso, o

---

tese que contraria em tudo a tendência do século, em que os três quesitos brigavam entre si, como continuam brigando. Ainda uma vez o exemplo será Balzac. A sua postura visionária, ensaiada e nem sempre convincente, apresenta-se como a faculdade "genial" de abarcar numa só mirada do espírito a França do capital; de auscultar-lhe o movimento complexo a partir de qualquer detalhe sugestivo, de fantasiar livremente a seu respeito, sem prejuízo de sempre dizer verdades raras, finais, originais etc. A natureza do assunto, contudo, atrapalha: a intimidade reflexiva com o mundo burguês só a custo sustenta um clima de meditação — transações não são paisagens nem destinos — donde a ocasional impressão de que o titanismo visionário de Balzac é também um descomunal impulso fofoqueiro. Alencar, que procura a mesma atmosfera, tem bons resultados quando é *retrospectivo*: deixando suspenso o conflito de primeiro plano (em que não é feliz), volta atrás para traçar, das origens, a história de um de seus elementos, o que faz com olho seguro, interessante e econômico, e também poético. Vejam-se além da história prévia de Aurélia, a de Seixas e o cap. 10, parte I, de *O tronco do ipê*. Breve e informativo por definição, o retrospecto limita a reflexão ideológica da personagem ou do narrador — que prejudica o romance urbano e problemático — e as aventuras descabeladas — que prejudicam os livros mais aventurosos. É realista por definição: a sua regra é o encadeamento claro e sugestivo dos atos, com vistas na situação que estivera na origem do *flash-back*. Resulta uma figuração mais tranquila, interessada na descrição, e não na crítica, das forças que irão pesar. É uma solução em que brilham o talento mimético, a cultura brasileira e a visão de conjunto de Alencar, ao mesmo tempo que se minimizam os efeitos desencontrados

processo não os transforma — Alencar adere aos dois, a um por sentimento dos costumes, a outro por apreço pela modernidade, que saem puros do livro, tais como entraram. Veja-se ainda neste sentido o peso incerto das reflexões desabusadas de Aurélia: se têm razão de ser (como teriam, se a sua força formal fosse efetiva), as senhoras que não gostam, porque as acham impróprias, deveriam fazer figura de hipócritas; mas não, são boas mães. Já os rapazes do tom, que acham picante e não se ofendem, são acusados de insensibilidade moral. Seixas por sua vez, que romanticamente aceitara humilhar-se a fim de reaver o apreço da amada, no final apresenta entre as razões de sua obediência... a ho-

---

de nossa vida ideológica. Recurso ocasional em *Senhora*, este andamento é central em *Til* e *O tronco do ipê*, os romances alencarinos da fazenda. São livros de intriga abstrusa, ligada a uma noção subliterária do destino e da expiação das culpas, noção que no entanto vem aligeirar-lhes a prosa, à maneira do que vimos para o *flash-back*. Em lugar da complexidade analítica dos problemas, a força do destino. Nos dois casos trata-se de ricos fazendeiros, que deverão pagar em detalhe os esquecidos malfeitos da juventude. No entanto, quando sobe à cena e se abate sobre os mortais, o peso de sua culpa coincide em larga medida — e vantajosamente — com o peso do passado, com o encadeamento e a purgação dos antagonismos objetivos do mundo da fazenda: filhos ilegítimos, escravos enlouquecidos de pavor, propriedades subtraídas, capangas e assassinatos, incêndios, superstição, levantes na senzala etc. Leiam-se, em *Til*, os capítulos em volta do incêndio (parte IV, cap. I-IX), para ter ideia da força e amplitude deste movimento. É aliás na unidade de fôlego de sequências longas e variadas, como esta a que nos referimos, que se atesta a força romântica, "subjetiva", do narrador. É aí também, na presteza com que lhe acodem as palavras e as imagens — presteza de que nem sempre o bestialógico está ausente — que a dicção de Alencar converge com a fala comum, pré-literária. O andamento novelesco, por sua vez, decompõem-se em episódios breves, compatíveis com a narrativa de tradição popular. A mim, em matéria do que poderia ter sido, parece que são estes dois os seus melhores livros.

norabilidade comercial, revalorizando assim o nexo mercantil cuja crítica é a razão de ser do enredo.[21] Para ver o estrago causado no próprio tecido da prosa, estudem-se as páginas de abertura. A boa sociedade fluminense é referida sucessivamente como elegante, atrasada e vil, sem que seja assinalada a contradição. Também o narrador não é sempre o mesmo. Ora fala a linguagem conivente do cronista mundano, ora fala como estudioso das leis do coração e da vida social, ora é um duro moralista, ora um homem evoluído, ciente do provincianismo brasileiro, ora enfim é respeitador dos costumes vigentes. Afinal, para uso do romance, a verdade onde estará? E no entanto, um pouco de autocrítica e humor transformariam esta incoerência dos juízos, que se verifica de frase a frase, na inconstância abissal da narrativa machadiana.

De modo mais ingênuo, desarranjos semelhantes aparecem n'*A pata da gazela* e em *Diva*. Neste segundo livro, que começa com graça, o clima geral — como em *Senhora* — é família, de melindres, festinhas e namoricos. No entanto o enredo dispara: os dengues e acanhamentos da heroína, comuns e convincentes de início, são aumentados até o descalabro, e vertidos para a mais descombinada e exaltada retórica romântica, da pureza, da dúvida e da desilusão totais, tudo acabando em casamento. Entre a banalidade da vida social e a movimentação do enredo, um abismo. Não falam da mesma coisa. Ainda assim, sempre aquém do nível que só a coerência artística dá, a intriga guarda certa força: o seu andamento tem alguma coisa crua e descarada, a despeito do conformismo, algo das ficções violentas, prolixas, cheias de castigos deliciosos e triunfos abjetos, com que a fantasia humilhada compensa ressentimentos e incertezas da vida. N'*A pata da*

---

[21] *Senhora*, p. 1.203.

gazela a desproporção resulta do percurso contrário: em lugar da monumentalização romântica de conflitos pequenos, assistimos ao esvaziamento acelerado da situação romântica inicial, que no entanto é o elemento de interesse do livro. Horácio, devasso leão da moda, é oposto a Leopoldo, rapaz modesto por fora e iluminado por dentro, a ponto de ter os olhos fosforescentes. Diz o primeiro ao segundo: "tu amas o sorriso, eu o pé", o que é figurado e literal.[22] De fato, materialismo e fixações proibidas confrontam-se com o amor das belezas morais — a propósito do pé. Se este é bonito, a Horácio não importa a dama; já Leopoldo, se esta lhe fala à alma, casa com ela ainda que o seu pé seja um "aleijão", uma "pata de elefante", "cheio de bossas como um tubérculo", "uma posta de carne, um cepo!".[23] Entretanto, aos poucos a componente perversa e cruel é desarmada, deixando o campo ao contraste bem comportado, de seguro desenlace, entre o moço frívolo e o moço sincero. Insensivelmente, e nem tanto, o assunto passa a ser outro. A insolência do conflito ideológico é como uma viga falsa, que prende a leitura mas não sustenta, em última análise, a narrativa. Não sendo metáforas da totalidade social, perversão, vida mundana, tédio, alfaiates e sapateiros da moda reduzem-se a chamariz, superpostos sem muito disfarce à falta de prestígio de nossa rotina brasileira. Não que esta fosse desprovida de profundidade — como adiante se verá, com Machado de Assis. Mas seria preciso construí-la. Por agora, estamos de volta ao quadro que já estudamos: o tom da moda confere modernidade e alcance à narrativa, que no entanto o desqualifica; nem é necessário, nem é supérfluo. Ou melhor, é

---

[22] *Obra completa*, vol. I, p. 650.
[23] *Idem*, pp. 608 e 652.

necessário para tornar *apresentável*[24] a literatura narrativa, mas fica descalibrado quando se trata de incorporar a ela o elemento local. Mesma coisa para o conflito das ideologias morais, que ora é audacioso e grave, à la Balzac, ora é superfetação pura, às vezes intencional e humorística, às vezes involuntária. Desnecessário dizer que a cada guinada destas se desmancha a credibilidade do contexto anterior, que se vinha tecendo. Os salvados literários, que são bastantes, também aqui devem-se à garra mimética do Autor, que sobrevive às incongruências da composição. A própria questão do pé, legitimada para as letras pelo temário satânico do Romantismo, vem a funcionar numa faixa inesperada, mesquinha e direta, mas viva, a exemplo do que vimos para o andamento de *Diva*. É origem não só de um debate insípido entre alma e corpo, como também de reflexões mais íntimas e espontâneas, traduzidas por exemplo nos nomes dados ao defeito físico ou na maneira pela qual a sua descoberta afeta o namorado. Por entre as generalidades filtra alguma coisa de mordente, que faz parte duma tradição de nossa literatura, a tradição — se podemos dizer assim — do instante cafajeste, reflexivo nalguns, natural em outros. Para documentá-la, sejam lembrados o episódio das hemorroidas n'*A moreninha* de Macedo; a sensação esquisita do herói de *Cinco minutos*, primeira história de Alencar, quando considera que a passageira noturna e velada, em cujo ombro colara "os lábios ardentes", nos fundos de um ônibus, talvez fosse feia e velha; os terríveis capítulos de Eugenia, a menina coxa, nas *Memórias póstumas de Brás Cubas*; a multidão das grosserias parnasiano-naturalistas, combinação que em si mesma

---

[24] Expressão e problema são sugestões de Alexandre Eulalio, que vê a dicção de Alencar como um rearranjo da prosa jurídico-política dos grêmios estudantis paulistanos, a qual não deixaria nunca de vincar a sua prosa de ficção.

já tem algo cafajeste; e em nossos dias as piadas de Oswald, a podridão programática de Nelson Rodrigues, o tom mesquinho de Dalton Trevisan, além de uma linha maciça e consolidada de música popular.

    A ficção realista de Alencar é inconsistente em seu centro; mas a sua inconsistência reitera em forma depurada e bem desenvolvida a dificuldade essencial de nossa vida ideológica, de que é o efeito e a repetição. Longe de ocasional, é uma inconsistência substanciosa. Ora, repetir ideologias, mesmo que de maneira concisa e viva, do ponto de vista da Teoria é repetir ideologias e nada mais. Já do ponto de vista da literatura, que é imitação — nesta fase ao menos — e não juízo, é meio caminho andado. Daí à representação consciente e criteriosa vai um passo. Embora tenhamos insistido num lado só, o resultado de nossa análise é, portanto, duplo. Passemos a seu lado positivo. O próprio Alencar terá sentido alguma coisa do que procuramos descrever nestas páginas. Explicando-se a propósito de *Senhora* e da figura de Seixas, que fora criticada por seu pouco relevo moral, responde que "talha os seus personagens no tamanho da sociedade fluminense", e gaba-lhes "justamente [...] esse cunho nacional". "Os teus colossos", diz Alencar ao seu crítico, "neste nosso mundo (brasileiro) teriam ares de convidados de pedra".[25] Ora, tudo está em saber o que seja essa medida diminuída, esse "tamanho fluminense" em que se reconhece a marca do país. Porque será menor, sob pena de parecer fantasma, um arrivista fluminense que um francês? Tomando a questão de mais perto, note-se que a estatura dos heróis alencarinos não é estável. São medíocres? de exceção? Ora uma coisa, ora outra. Oscilam entre o titânico e o familiar, conforme as exigências respectivas do desenvolvimen-

---

[25] Em nota anexa a *Senhora*, p. 1.213.

to dramático, à europeia, e da caracterização localista. Assim Aurélia, que vive no absoluto mais exaltado — lasciva como uma salamandra, cantando árias da *Norma* em voz bramida e esmagando o mundo "como um réptil venenoso"[26] — pergunta a Dona Firmina se é mais bonita que a Amaralzinha, sua companheira de festas;[27] logo adiante, para sublinhar-lhe a lucidez, elogiam-se os seus conhecimentos de aritmética.[28] Mesma coisa com Seixas, que para fins românticos é "uma natureza superior" e "predestinada",[29] e no mais um rapaz como os outros. Em *Diva*, a Medicina é um sacerdócio, mas o doutor passa o tempo namorando uma menina ingrata.[30] Também o heterodoxo adorador de botinas, em *A pata da gazela*, cedo mostra ser um moço respeitoso, que sente "efusões de contentamento" quando o pai da amada lhe oferece a casa.[31] Na verdade, portanto, o "tamanho fluminense" resulta da alternância irresolvida de duas ideologias diversas. A sua causa, voltando aos nossos termos, está na vigência prejudicada, por assim dizer esvaziada, que tinham no Brasil as ideologias europeias, deslocadas pelo mecanismo de nossa estrutura social. Isto quanto à realidade. Quanto à ficção, é preciso tomar com reserva a expressão de Alencar, distinguir entre concepção construtiva e justificação de um efeito, isto é, entre os graus de intenção. Já vimos que não falta extremismo a estas figuras — ao contrário do que diz o seu Autor — particularmente em

---

[26] *Senhora*, p. 955.

[27] *Idem*, p. 959.

[28] *Idem*, p. 968.

[29] *Idem*, p. 1.054.

[30] *Diva*, p. 527.

[31] *A pata da gazela*, p. 609.

Senhora; o que lhes qualifica a estatura, em prejuízo da grandeza almejada, é a rede das relações secundárias, que abala o mérito e o fundamento ao conflito central, que sai relativizado. Daí o efeito de desproporção, de dualidade formal, que procuramos assinalar e que é o resultado estético destes livros, e também a sua consonância profunda com a vida brasileira. Apagada no primeiro plano da composição, que é determinado pela adoção acrítica do modelo europeu, a nossa diferença nacional retorna pelos fundos, na figura da inviabilidade literária, *a que Alencar no entanto reconhece o mérito da semelhança*. Assim, o tributo pago à inautenticidade inescapável de nossa literatura é reconhecido, fixado e em seguida capitalizado como vantagem. Esta a transição que nos interessa estudar, do reflexo involuntário à elaboração reflexiva, da incongruência para a verdade artística. Estamos na origem, aqui, de uma dinâmica diversa para a nossa composição romanesca. Note-se portanto o problema: onde vimos um *defeito de composição*, Alencar vê um *acerto da imitação*. De fato, a fratura formal em que insistimos, e que Alencar insistia em produzir, guiado pelo senso do "tamanho fluminense", tem extraordinário valor mimético, e nada é mais brasileiro que esta literatura mal resolvida. A dificuldade, no caso, é só aparente: em toda forma literária há um aspecto mimético, assim como a imitação contém sempre germes formais; o impasse na construção pode ser um acerto imitativo — como já vimos que é, neste caso — o que, sem redimi-lo, lhe dá pertinência artística, enquanto matéria a ser formada, ou enquanto matéria de reflexão. Vejamos em que sentido. — Alencar não insiste na contradição entre a forma europeia e a sociabilidade local, mas insiste em pô-las em presença, no que é membro de sua classe, que apreciava o progresso e as atualidades culturais, a que tinha direito, e apreciava as relações tradicionais, que lhe validavam a eminência. Não se trata de indecisão, mas de adesão simultânea a termos inteiramente heterogêneos, incompatíveis quanto aos princípios — e harmonizados na prática de nosso "paternalismo esclarecido". Estamos diante duma figura inicial daquela modernização conservadora cuja história ainda hoje não acabou.[32] É o problema de nosso primeiro capítulo, que reaparece no plano da literatura: onde a lógica desta combinação, esdrúxula mas real? Assim, repetindo sem crítica os interesses de sua classe, Alencar manifesta um fato crucial de nossa vida — a conciliação de clientelismo e ideologia liberal — ao mesmo tempo que lhe desconhece a natureza problemática, razão pela qual naufraga no conformismo do senso comum, de cuja falsidade as suas incoerências literárias são o sintoma. Noutras palavras digamos que forma europeia e sociabilidade local são tomadas tais e quais, com talento e sem reelaboração. Frente a frente, no espaço estreito e lógico de um romance, contradizem-se em princípio, ao passo que a sua contradição não é levada adiante por... senso da realidade. Nem conciliadas, nem em guerra, não dão a referência, uma à outra, de que precisariam para desmanchar a sua imagem convencional e

---

[32] Gilberto Freyre registra o problema, com finura quanto à sua permanência, com cegueira de classe quanto às suas dificuldades, e sobretudo sem o menor distanciamento — a despeito dos quase cem anos que se passaram: "De modo que precisamos estar atentos a essa contradição de Alencar: o seu modernismo antipatriarcal nuns pontos — inclusive o desejo de 'certa emancipação da mulher' — e o seu tradicionalismo noutros pontos: inclusive no gosto pela figura castiçamente brasileira da sinhazinha de casa-grande patriarcal". "É como se Alencar, através dessa Alice ao mesmo tempo tradicionalista e modernista, familista e individualista, tivesse se antecipado à tentativa de renovação da cultura brasileira sobre base ao mesmo tempo modernista e tradicionalista que foi, em nossos dias, o Movimento Regionalista do Recife, ao lado do mais grandioso Modernismo de São Paulo, do qual também uma ala se esforçou pela combinação daqueles contrários." G. Freyre, *José de Alencar*, Rio de Janeiro, Ministério da Educação e Saúde, Os Cadernos de Cultura, 1951, pp. 15, 27-8.

ganhar integridade artística: a primeira fica sem verossimilhança, a segunda fica sem importância, e o todo é peco e desequilibrado. Todo, no entanto — eis a surpresa — em que há felicidade imitativa, o "cunho nacional" que leva Alencar a insistir na receita, a estabilizá-la para as nossas letras. Para a tradição de nosso Realismo, é o seu legado mais profundo. Assim, falência formal e força mimética estão reunidas. O leitor dá-se conta de que ao dizê-lo estamos relendo o livro por outro prisma. A inconsistência agora é vista não como fraqueza duma obra ou dum autor — como repetição de ideologias — mas como imitação de um aspecto essencial da realidade. Não é efeito final, mas recurso ou ponto de passagem para outro efeito mais amplo. Trata-se de uma leitura de segundo grau, que recupera para a reflexão a verdade nem sempre voluntária do "tamanho fluminense". Note-se também que o defeito formal é ingrediente, aqui, a mesmo título que os ingredientes que o produzem a ele, defeito. De forma a inconsistência passa a matéria. Tanto assim que em lugar da combinação de dois elementos — forma europeia e matéria local — que resulta precária, temos uma combinação de três: o resultado precário da combinação de forma europeia e matéria local, que resulta engraçado. Substituindo o primeiro efeito, rebaixado a elemento, aparece um segundo, diverso e desabusado, cuja graça está nas desgraças do primeiro. É verdade que seu rendimento intelectual e artístico faz falta quase completa em Alencar. Para apreciá-lo, será preciso esperar pela segunda fase de Machado de Assis. Não obstante, é a própria substância — a desenvolver — do "tamanho fluminense". Em abstrato seria o seguinte: se o efeito desencontrado é um dado inicial e previsto da construção, deveria dimensionar e qualificar os elementos que o produzem, além de lhes redefinir as relações. Deveria relativizar a pretensão enfática do temário europeu, retirar ao temário localista a inocência da marginalidade, e dar sentido calculado e cômico aos desníveis narrativos, que assinalam o desencontro dos postulados reunidos no livro. O leitor está reconhecendo, espero, a tonalidade machadiana. Talvez se convença mais, levando em conta uma questão de escala: se a qualidade imitativa resulta da fratura do conjunto e fraqueja em suas partes, em que no entanto se demora a leitura, esta será tediosa — como de fato é — e há erro de economia literária. Para aproveitar a solução, seria preciso concentrá-la, de modo a dar-lhe presença a todo momento da narrativa; transformar o efeito de arquitetura em química da escrita. Ora, a prosa machadiana como que depende da miniaturização prévia dos circuitos do romance de Alencar, cujo espaço ideológico inteiro, inconsistência inclusa, ela percorre quase que a cada frase. Reduzida, rotinizada, estilizada como unidade rítmica, a desproporção entre as grandes ideias burguesas e o vaivém do favor transforma-se em dicção, em música sardônica e familiar. Da inconsistência formal à incoerência humorística e confessa, o resultado tornou-se ponto de partida, matéria mais complexa, que outra forma irá explorar. Não sugiro com isto que o romance de Machado seja o produto simples da crítica ao romance de Alencar. A tradição literária não corre assim separada da vida. Na verdade os problemas de Alencar eram com pouca transposição os problemas de seu tempo, continuidade fácil de documentar com discursos e matéria de imprensa, que sofriam das mesmas contradições e desproporções. Machado podia emendar num como noutro. Nem se trata propriamente de influência, que houve e não é difícil de catar. O que interessa examinar de mais perto, aqui, é a formação de um substrato literário com densidade histórica suficiente, capaz de sustentar uma obra-prima. Voltemos atrás, à força mimética do impasse formal. Este último resulta, conforme a nossa análise, da incorporação acrítica duma combinação ideológica normal no Brasil — submetida à exigência de unidade própria ao romance realista e à literatura moderna. Repetindo ideologias, que são elas mesmas repetições de aparências, a literatura é ideologia ela também. Segundo momento, o impasse é tido como característico da vida nacional. Em consequência, passa a ser um efeito conscientemente procurado, o que é o mesmo que relativizar a combinação de ideologias e formas que o produz, uma vez que não valem por si mesmas, mas pelo fraco resultado de seu convívio. *A repetição ideológica de ideologias é interrompida*, por efeito da fidelidade mimética. Assim, "tamanho fluminense" é um nome para este hiatozinho, que sem ser uma ruptura levada até o fim, virtualmente basta para redistribuir os acentos e remanejar as perspectivas, fazendo vislumbrar o campo de uma literatura possível, que não seja reconfirmação de ilusões confirmadas — passo que Machado irá dar. No que toca ao escritor, esta modificação pode ter muitas razões. Do ponto de vista objetivo, que nos importa agora, ela leva a incorporar às letras, *enquanto tal*, o momento de impropriedade que a ideologia europeia tem entre nós. Noutras palavras, o processo é uma variante complexa da chamada dialética de forma e conteúdo: nossa matéria alcança densidade suficiente só quando inclui, no próprio plano dos conteúdos, a falência da forma europeia, sem a qual não estamos completos. Fica de pé naturalmente o problema de encontrar a forma apropriada para esta nova matéria, de que é parte essencial a inanidade das formas a que por força nos apegamos. Antes da forma, portanto, foi preciso produzir a própria matéria-prima, enriquecê-la com a degradação de um universo formal. Note-se a propósito desta operação que o seu móvel é puramente mimético. Semelhança, assim, não é um fato de superfície. O trabalho de ajustamento da imitação, à primeira vista limitado pelo acaso das aparências, como que prepara o curso de um novo rio. Seus efeitos para a composição, determinados pela exigência lógica — histórica — da matéria utilizada a bem da semelhança, ultrapassam infinitamente o círculo estreito do mimetismo, que no entanto os traz à luz. Neste sentido, para uso do escritor, o "tamanho fluminense" pode ser um vago critério nacionalista e imitativo, que dispensa de maiores definições; objetivamente, contudo, produz algo como uma ampliação do espaço interno da matéria literária, a qual passa a comportar uma permanente referência transatlântica, que será sua pimenta e verdade. Noutros termos, para construir um romance verdadeiro é preciso que sua matéria seja verdadeira. Isto é, para nosso caso de país dependente, que seja uma síntese em que figure com regularidade a marca de nossa posição diminuída no sistema nascente do Imperialismo. Por força da imitação, da fidelidade ao "cunho nacional", as ideologias do favor e liberal estão reunidas em permanência, formando um quebra-cabeças que ao ser armado — a força de lógica, e já não de mimetismo — irá dar uma figura nova e não diminuída da diminuição burguesa, cujo ciclo ainda hoje nos interessa, pois não se encerrou.

Ficou para o fim o defeito mais evidente de *Senhora*, o seu desfecho açucarado. Imagine-se quanto a isto um final diferente, que "o hino misterioso do santo amor conjugal" não estragasse: o romance teria uma fraqueza a menos, mas não seria melhor. Nenhum dos problemas que viemos apontando estaria resolvido. O fecho róseo ou pelo menos edificante não é especialmente ligado à literatura brasileira, mas ao romance de conciliação social, de Feuillet e Dumas Filho por exemplo, que foram influências diretas. Estes sim destruíram a sua literatura à força de cálculos conformistas. Tome-se o *Roman d'un jeune homme pauvre*, de Feuillet, e tornem-se agudas as contradições que ele atenua: estaríamos diante de um bom romance realista.[33] É que

---

[33] Com intenção contrária, Paul Bourget faz a mesma observação: "Lendo os seus livros, sente-se uma estima singular por este nobre espírito, que, dado em-

Feuillet, como Alencar, é herdeiro de uma tradição formal com os pressupostos críticos da revolução burguesa. *Senhora* e o *Romance de um moço pobre* circulam entre o quarto modesto e o palacete, a cidade e a província, o escritório do negociante e os jardins da amada, o sentimento aristocrático e o burguês etc. No livro de Feuillet, os antagonismos implicados nesta disposição de espaços e temas são como sombras de dúvida e subversão, debeladas pela virtude das personagens positivas. Triunfa uma liga exemplar de aristocratas igualitários e burgueses sem ganância. No entanto, os problemas da revolução burguesa não só estão formalizados no travejamento do romance realista, a que se filia Feuillet, como sobretudo trabalham a própria realidade, o corpo social da Europa, que é a matéria viva desta literatura. Assim, disfarçar as contradições sociais e desmanchar o relevo literário são neste caso uma e a mesma coisa. O caso é outro com Alencar, que aliás concilia apenas no final e não é conformista no percurso, em que é audacioso e amigo de contradições.[34] Que fazer com esta forma, se as oposições de princípio que a compõem não vincam também a matéria que deve organizar? Se a fazenda do velho Camargo não é o lugar das virtudes provincianas e aristocráticas, mas do Capital e também dos costumes dissolutos da es-

---

bora às audácias da análise e às curiosidades perigosas, soube guardar o culto do cavalheiresco, da mulher e do amor". Cf. *Pages de critique et de doctrine*, Paris, Plon, 1912, p. 113. Impressionado talvez com a Comuna de Paris, Dumas Filho é mais direto: "Foi-se o tempo de ser espirituoso, ameno, libertino, sarcástico, cético e fantasioso; não é hora para isso. Deus, a natureza, o trabalho, o casamento, o amor, a criança, são coisas sérias". Prefácio de *La femme de Claude*, citado em H. S. Gershman e K. B. Whitworth Jr. (orgs.), *Anthologie des préfaces de romans français du XIXe Siècle*, Paris, Julliard, 1964, p. 325.

[34] A distinção entre conformismo e conciliação em Alencar me foi feita por Clara Alvim.

cravaria, qual o resultado de seu confronto com a cupidez e a leviandade da Corte? seja qual for, não soma com o conflito central, nem lhe responde. Analogamente, ao mudar de seu quarto pobre para o palacete da esposa, Seixas não muda propriamente de classe social e sobretudo de ideologia — como faria supor o contraste dos lugares; muda só de nível de consumo, como se diria hoje, o que tira a força poética à localização da ação. Etc., etc. Se as oposições que definem a forma não governam também o chão social a que ela se aplica, rigor formal e desequilíbrio artístico estarão juntos, e haverá conformismo no próprio desassombro com que se ponham contradições ditas tremendas — mas prestigiadas. Daí aliás um efeito esquisito destes romances, que sendo voltados para a história contemporânea, não produzem a impressão de ritmo histórico algum. Justamente, porque a poesia deste último depende da periodização ao vivo, isto é, da correspondência entre a matéria de conflitos bem datados, e as contradições históricas que organizam o conjunto em seu movimento. — Assim, depois de mostrarmos que a melhor contribuição de Alencar à formação de nosso romance está nos pontos fracos de sua literatura, vejamos também como a sua fraqueza passa por pontos realmente fortes, que tomados isoladamente são méritos de escritor. A propósito de *Senhora*, Antonio Candido observa que seu assunto — a compra de um marido — dá forma não só ao enredo, como repercute também no sistema metafórico do livro. Trata-se justamente da consistência formal, cujo efeito queremos estudar. "A heroína, endurecida no desejo de vingança, possibilitada pela posse do dinheiro, inteiriça a alma como se fosse agente duma operação de esmagamento do outro por meio do capital, que o reduz a coisa possuída. E as próprias imagens do estilo manifestam a mineralização da personalidade, tocada pela desumanização capitalista, até que a dialética romântica do amor recupere a sua normalidade convencional. No conjunto, como no pormenor de cada parte, os mesmos princípios estruturais enformam a matéria."[35] De fato, o movimento dramático transforma a menina rica, exposta à "turba dos pretendentes",[36] em mulher revoltada e veemente. Quando tem a iniciativa, Aurélia considera o mundo através dos óculos do dinheiro, com a intenção de devolver em dobro as humilhações sofridas. Reverso da medalha, quando sente a própria pessoa exposta aos mesmos óculos, sobrevêm a lividez marmórea, os lábios congelados, as faces jaspeadas, a crispação, a voz ríspida e metalizada etc.[37] Até aqui, a dialética moral do dinheiro e o mal que ele faz às pessoas. Contudo, como já sugerem o mármore e o jaspe, o movimento é mais complexo. A mineralização a que se refere Antonio Candido está na intersecção de muitas linhas: dureza necessária para instrumentalizar o outro, recusa visceral de emprestar a própria humanidade ao cálculo alheio, paganismo da matéria inconsciente e da estátua, recusa do corpo, substâncias caras etc. Em suma, o objeto da crítica econômica tem prestígio sexual. "E o mundo é assim feito que foi o fulgor satânico da beleza dessa mulher a sua maior sedução. Na acerba veemência da alma revolta, pressentiam-se abismos de paixão; e entrevia-se que procelas de volúpia havia de ter o amor da virgem bacante."[38] Assunto explícito: o dinheiro recalca os sentimentos naturais; assunto latente: dinheiro, desprezo e recusa formam um conjunto erotizado, que abre perspectivas mais movimentadas que a vida convencional. Noutras palavras, o dinheiro é deletério porque separa a sensualida-

---

[35] Antonio Candido, "Crítica e sociologia", *in Literatura e sociedade*, São Paulo, Companhia Editora Nacional, 1965, pp. 6-7.

[36] *Senhora*, p. 954.

[37] *Idem*, pp. 1.028, 1.044.

[38] *Idem*, p. 955.

de do quadro familiar existente, e é interessante pela mesma razão. Daí a convergência, em Alencar, entre riqueza, independência feminina, intensidade sensual e imagens da esfera da prostituição. Como se vê, o desenvolvimento é de audácia e complexidade consideráveis, verdade que bem apoiado na *Dama das camélias*. Isso posto, a consequência formal com que Alencar desenvolve o seu assunto fortalece — em lugar de eliminar — a dualidade formal que viemos estudando: coloca no centro do romance a coisificação burguesa das relações sociais. Onde Antonio Candido aponta uma superioridade, que existe, há também uma fraqueza. A utilização instrumental e portanto o antagonismo absoluto é o modelo, aqui, da relação entre os indivíduos. Ora, esse é um dos efeitos ideológicos essenciais do capitalismo liberal, assim como é um dos méritos do romance realista significá-lo em sua própria estrutura. Mas não era o princípio formal de que precisávamos, embora nos fosse indispensável — como tema.

José de Alencar (1829-1877) e Machado de Assis (1839-1908), retratados no periódico *Archivo Contemporaneo* (nº 10, Rio de Janeiro, 30/1/1873), quando Machado tinha 33 anos de idade.

III.
O paternalismo e a sua racionalização nos primeiros romances de Machado de Assis

1. Generalidades

O problema põe-se de maneira diferente nos primeiros romances de Machado de Assis.[1] Também eles trazem na composição a marca da dependência nacional. Falta-lhes no entanto a simpatia, que a ingenuidade — para olhos de hoje — dá ao rompante de Alencar. São livros deliberada e desagradavelmente conformistas. Onde Alencar alinhara pelo Realismo, pelas questões do individualismo e do dinheiro, vivas e críticas ainda em nossos dias, Machado se filiava à estreiteza apologética da Reação europeia, de fundo católico, e insistia na *santidade das famílias* e na *dignidade da pessoa* (por oposição ao seu direito). Donde o clima bolorento, ao qual o leitor moderno é particularmente alérgico, já que perdeu o costume, não dos regimes autoritários, mas de sua justificação moral. Contudo, estávamos no Brasil. A substituição da referência liberal pelo paternalismo conservador tinha a vantagem de trazer para a frente alguns de nossos assuntos decisi-

---

[1] Muito do que se dirá neste capítulo está indicado, em perspectiva biográfica, por Lúcia Miguel-Pereira, em seu notável *Prosa de ficção*, Rio de Janeiro, José Olympio, 1973. Para uma interpretação em linha diversa, mais apoiada em continuidades do que em contradições, ver J. A. Castello, *Realidade e ilusão em Machado de Assis*, São Paulo, Companhia Editora Nacional, 1969.

vos. Sem esquecer também que uma doutrina autoritária, em que a família dá o paradigma à sociedade, se entrelaçava com naturalidade às nossas tradições católicas e patriarcais. Escravismo e regime de prestação não lhe punham dificuldade. Já quanto às convicções, trocava-se o roto pelo esfarrapado, além da antipatia da opção, que na Europa se destinava a confundir os trabalhadores.

Note-se que dez anos antes Machado havia adotado ideias liberais e assimilara a retórica do progresso e da igualdade. "O jornal é a verdadeira forma da república do pensamento. É a locomotiva intelectual em viagem para mundos desconhecidos, é a literatura comum, universal, altamente democrática, reproduzida todos os dias, levando em si a frescura das ideias e o fogo das convicções/ [...]/ Completa-se a emancipação da inteligência e começa a dos povos. O direito da força, o direito da autoridade bastarda consubstanciada nas individualidades dinásticas vai cair. Os reis já não têm púrpura, envolvem-se nas constituições. As constituições são os tratados de paz celebrados entre a potência popular e a potência monárquica/ [...]/ O talento sobe à tribuna comum; a indústria eleva-se à altura de instituição; e o titão popular, sacudindo por toda a parte os princípios inveterados das fórmulas governativas, talha com a espada da razão o manto dos dogmas novos. É a luz de uma aurora fecunda que se derrama pelo horizonte. Preparar a humanidade para o sol que vai nascer — eis a obra das civilizações modernas."[2] A ilusão não durou, e logo Machado iria mudar de convicção, movido por razões que resta aos biógrafos esclarecer.[3]

---

[2] "O Jornal e o livro" (1859), *in Obra completa*, vol. III, pp. 955-8.

[3] Cf. J.-M. Massa, *op. cit.*, "O engajamento", sobretudo pp. 299 ss., que chama a atenção para o problema e sugere que Machado tenha sido frustrado em suas ambições políticas.

Mais tarde, quando vem a escrever os seus primeiros romances, estes se alimentam da ideologia antiliberal. Para Machado, portanto, já não se tratava aqui de uma posição inicial e irrefletida, mas do resultado da experiência, com a parte de realismo — se não de verdade — que acompanha as desilusões. No caso, o que interessa é a profundidade da viravolta, que para a matéria literária teve o efeito de uma vacina. Os Direitos do Homem e as generalizações libertárias, próprias do individualismo romântico, estão quase ausentes destes livros, em que há bastante injustiça e impasse, e nenhuma brisa de revolta social. Mais exatamente, estão postos à margem. E se acaso vêm ao primeiro plano, a eficácia da vacina confirma-se ainda melhor, pelo traço muito caricatural. Sirvam de exemplo o byronismo debiloide de Estevão, o infeliz namorador de *A mão e a luva*, ou o patriotismo repentino de certa dama, que manda o filho à guerra do Paraguai, a fim de lhe evitar um casamento inferior (*Iaiá Garcia*). Veremos em pormenor as vantagens que este recuo — a filiação conservadora, no que diz respeito à tradição europeia — trouxe à literatura brasileira. Por agora notemos que ela é responsável pelo acanhamento essencial destes romances, passados na Corte. De fato, a restrição ideológica era também restrição de assuntos e escolha de conflitos: as questões do individualismo, as novidades da civilização burguesa, e com elas o temário da modernidade, aparecem pouco e têm posição secundária. Por outro lado, não podiam faltar por completo, sendo indispensáveis ao perfume oitocentista. Cartolas, charutos, modos elegantes e cavalheiros de pouco escrúpulo renovam os termos de um problema que já conhecemos. Em *Senhora*, a cor local desacreditara o nó dramático, em que se implicava a nova civilização do Capital. Inversamente, na primeira fase machadiana, mesmo escassa e filtrada a cor moderna dá contraste, e faz sensível a estreiteza do conflito central, em que rearranjos na esfera doméstica fazem figura de solução de conflitos sociais. Conforme anunciávamos, o acessório localista de Alencar tornou-se força formal, e as audácias cosmopolitas de seu conflito central reduzem-se ao que no fundo sempre foram, a elementos de moda. São passos da redistribuição mais verossímil de temas e acentos, operada por Machado, redistribuição que por sua vez não se fazia sem problemas. O seu resultado literário inicialmente era ruim, pois dava a palavra ao atraso histórico do Brasil, cujo efeito, enquanto não se produzia um distanciamento analítico qualquer, que o abrisse e ventilasse, só podia ser o provincianismo. Retomando o nosso fio, digamos que a exclusão da referência liberal evitava o descentramento das ideologias, de que tanto falamos, mas ao preço de cortar as ligações com o mundo contemporâneo. Para avaliar as ambiguidades desse percurso, tome-se a militância antirrealista de Machado de Assis, em cujas palavras o Realismo "é a negação mesma do princípio da arte".[4] São ecos da doutrinação da *Revue des Deux Mondes*, para a qual Realismo, democracia, plebe, materialismo, gíria, sujeira e socialismo eram parte de um mesmo e detestável contínuo.[5] A norma é antimoderna em toda a linha. A recusa da matéria baixa leva à procura do assunto elevado, quer dizer expurgado das finalidades práticas da vida contemporânea. A nulidade das explicações, a este propósito, é como que um pro-

---

[4] "A nova geração", *OC*, vol. III, p. 826.

[5] T. E. du Val Jr., *The subject of realism in the* Revue des Deux Mondes, Philadelphia, University of Pennsylvania, 1936. Entre os doutrinários da revista, nessa matéria, está Charles de Mazade, que assinava estudos literários, políticos e sobretudo a "Chronique de la Quinzaine", na qual se encontra, me parece, um dos modelos retóricos da crônica machadiana. Para os pronunciamentos antirrealistas de Machado, vejam-se os seus ensaios principais, "Instinto de nacionalidade", "A nova geração", "*O primo Basílio*".

grama: "[...] o nosso intuito é ver cultivado, pelas musas brasileiras, o romance literário, o romance que reúne o estudo das paixões humanas aos tons delicados e originais da poesia".[6] No entanto, havia da parte de Machado uma intenção realista neste antirrealismo conservador, se o considerarmos expressão de experiência e ceticismo — o que não era na Europa, onde representava um recuo intelectual — em face do cabimento das ideias liberais no Brasil. Destinado a esfumar os antagonismos do regime burguês, o antirrealismo não os postulava, e nos poupava a ilusão de sermos a França... Mesmo a exclusão do assunto baixo, em espécie as misérias modernas, ocasionadas pelo Capital, era para nós a exclusão de um assunto com tropismos frívolos. Enquanto que a eleição dos assuntos decorosos — paternalismo antes que dinheiro — levava para mais perto da vida popular que a dialética do dito Capital. São confusões a que não havia como escapar, marcas genuínas da inautenticidade de nosso processo cultural. Nesse ponto o século XX não mudou tudo, e a própria história da assimilação do marxismo no Brasil mostra muita coisa comparável. A Machado, já agora só faltava a desilusão da desilusão: desiludir-se também do conservantismo paternalista. — Enfim, a despeito de sua inteligência e do engenho, que não vamos esquecer, são quatro romances enjoativos e abafados, como o exigem os mitos do casamento, da pureza, do pai, da tradição, da família, a cuja autoridade respeitosamente se submetem. Para falar com Oswald, correm numa pista inexistente.[7] E de fato, um

---

[6] "O culto do dever", *OC*, vol. III, p. 859.

[7] "O mal foi ter eu medido o meu avanço sobre o cabresto metrificado e nacionalista de duas remotas alimárias — Bilac e Coelho Neto. O erro ter corrido na mesma pista inexistente." A constelação é outra, o problema é o mesmo. Cf.

dos sinais da segunda e grande fase no romance de Machado será a reintegração abundante do temário liberal e moderno, das doutrinas sociais, científicas, da vida política, da nova civilização material — naturalmente à sua maneira dele.

Ressurreição (1872) é a história de um casamento bom para todos, que não se realiza devido aos ciúmes infundados do noivo. Nos três romances seguintes, trata-se da desigualdade social. As heroínas são moças nascidas abaixo do seu merecimento, e tocará às famílias abastadas elevá-las, reparando o "equívoco"[8] da natureza. A questão é tratada aprovativamente, no limite da grosseria, em *A mão e a luva* (1874); na perspectiva da suscetibilidade em *Helena* (1876), e com muito desencanto em *Iaiá Garcia* (1878). A despeito desta evolução o denominador comum dos quatro livros é a afirmação enfática da conformidade social, moral e familiar, que orienta a reflexão sobre os destinos individuais. Uma reflexão que não amplia nem generaliza as contradições em que assenta, mas ao contrário, as considera enquanto caso particular, que pede remédio também particular. O que falta a Félix, o noivo indeciso de *Ressurreição*, é a energia necessária para constituir família e tornar-se membro prestante da sociedade. A análise — essa força dissolvente — não vem aplicada ao instituto do casamento, mas às intermitências da vontade da personagem, que são lamentadas. Já Guiomar, em *A mão e a luva*, adapta-se com sagacidade louvável aos sentimentos de uma baronesa, a quem preza grandemente e que a acabaria por adotar. São os cálculos e a maleabilidade da moça a razão de ser do romance. Em *Helena*,

---

Oswald de Andrade, *Serafim Ponte Grande*, *Obras completas*, vol. II, Rio de Janeiro, Civilização Brasileira, 1971, p. 131.

[8] *A mão e a luva*, *OC*, vol. I, p. 142.

a heroína, depois de grande esforço para se fazer aceita, prefere a morte à ideia de ser malvista pela família de cuja bondade depende. E mesmo a orgulhosa Estela, uma agregada cuja "taça de gratidão estava cheia", não prolonga o seu sentimento da independência em restrições à autoridade e as instituições que a diminuem.[9] Seu mérito está no decoro que soube guardar em condições adversas. Noutras palavras, *a família, de preferência abastada, é a intocável depositária da ordem e do sentido da vida*. Oposta ao egoísmo do celibato e ao desperdício da viuvez, à esterilidade das relações passageiras e à brutalidade das relações desiguais, à irregularidade em geral, à obscuridade da pobreza, à aridez do trabalho, e a outras mais desgraças do país, a vida familiar é a esfera reparadora em que as disparidades sociais e naturais devem achar consolo e sublimação. Agente civilizador, ou refúgio dos civilizados, é ela o critério da moralidade e da racionalidade das ações humanas, e seus desencontros — que são dificuldades, mas não problemas — formam o centro reflexivo destes livros, confinados quase inteiramente ao seu círculo. Sua pureza *transcendental* tem valor de premissa, mas premissa artificiosa, que no contexto repleto de realidades observadas faz antes o efeito de um regulamento. Não impede que nessa qualidade ela seja aqui princípio formal. A sua inverdade é gritante, e repele a leitura simpática. Além do mais, os conflitos que comporta são muito pouco heroicos ou românticos, pois cabe às personagens, forçosamente uma companhia de altruístas, ajustarem-se à ordem estabelecida, de que não podem discordar no fundamental. Um espaço minado de bons sentimentos e tensões, em que o conflito não se declara jamais, pois declará-lo seria desmentir a convencionada bondade geral dos familiares, limite diante do qual as persona-

---

[9] Machado de Assis, *Iaiá Garcia*, *OC*, vol. I, p. 315.

gens renunciam, sob pena de romperem a regra formal e de escorregarem para um mundo romanesco diverso. Daí um estranho clima, de ardores virtuosamente contidos e resignações não mais que precárias, que não é sem poesia e de que ainda falaremos.[10] Falaremos também das exceções, dos vilãos que não têm respeito pela instituição familiar — será esta a definição da vilania. São personagens marginais, que partilham as concepções do Realismo francês em matéria de dinheiro e amores. Uma instância a mais para o contraste com Alencar, em cujo romance estas questões estariam no centro. — Está visto, portanto, que não faltam a riqueza e as desigualdades sociais. Mas os problemas decorrentes, à diferença do Realismo europeu, estão inscritos na órbita estreita e pia do sentimento doméstico.[11]

---

[10] Nalguns dos melhores contos da fase madura, Machado dará outra versão desse mesmo recesso familiar. Cf. "A missa do galo", "Uns braços", *Casa velha* e também *Dom Casmurro*. O mesmo assunto levava Alencar ao mais machadiano de seus trabalhos, o fragmento pequeno e muito promissor de *Escabiosa/ sensitiva* (*OC*, vol. I).

[11] Apoio-me nas observações de Peter Szondi, sobre o sentimentalismo burguês no século XVIII. Cf. *Die Theorie des buergerlichen Trauerspiels*, Frankfurt/M., Suhrkamp, 1973, pp. 89-90. Esquematicamente, na comédia lacrimosa das Luzes a intimidade familiar burguesa é valorizada como o recinto da verdadeira humanidade e dos sentimentos exemplares, em contraste com a submissão política ao déspota, com as manipulações desalmadas do libertino, com as obrigações genealógicas do nobre, e também com a dureza necessária à vida econômica da própria burguesia. Aí a sua dignidade de antítese do desumano. Cf. também J. Habermas, *Der Strukturwandel der Oeffentlichkeit*, Neuwied, Luchterhand, 1969, pp. 60-9. Já no século XIX, o romance realista vai mostrar o sentimentalismo na defensiva, enquanto vítima das grandes transformações econômicas e políticas. Na segunda metade do século, finalmente, a intimidade familiar volta a ser proposta como modelo, já agora pela literatura apologética e a fim de impedir a ampliação

Sem vantagem literária aparente, Machado ligara o seu romance a problemas de menor alcance, que no entanto iriam determinar uma aglutinação diferente e verossímil de temas locais — cujo interesse só adiante apareceria melhor, na dependência de mutações formais e ideológicas que estudaremos.[12] O aspecto obscurantista da sua posição é claro, uma vez que a família é tabu para a análise. A análise ela mesma, contudo, é tida em alta conta. Será cultivada com tanto mais ardor, quanto é uma das marcas essenciais do espírito moderno, o mesmo espírito cujas exterioridades Machado deixava cair. A contradição é insolúvel, mas não inconciliável. Reflexão e conformismo são menos incompatíveis do que se pensa, e é preciso nuançar. Em meados do século XIX o raciocínio burguês se havia tornado o solo normal do pensamento, também de seus adversários. Conforme observa Sartre, mesmo o aristocratismo romântico nesta altura se via na contingência de recorrer às explicações analíticas, em princípio contrárias à sua natureza.[13] Algo análogo dá-se nos primeiros romances de Machado. Embora afirmem, a santidade da ordem e da família, não está aí a sua maior, nem sobretudo a sua

---

de horizontes necessária à formação da consciência de classe. Paralelamente, a boa literatura passa a vê-la através do fatalismo naturalista ou em perspectivas vizinhas de Freud, que vão encará-la como forma de opressão e repressão.

[12] "Com Ponsart, Augier e Jules Sandeau cria-se uma literatura bom-burguesa e antirromântica. Para estes autores a arte deve *moralizar*. Condenam a paixão, em nome do utilitarismo. É o que faz também Alexandre Dumas Filho, depois de um primeiro *round* romântico." J.-P. Sartre, *L'idiot de la famille*, Paris, Gallimard, 1972, vol. III, p. 203. É provável, segundo J.-M. Massa, que Machado se tenha apoiado nesta linha. Seria preciso pesquisar, para localizar os possíveis empréstimos, sem o que esta exposição fica incompleta.

[13] J.-P. Sartre, *L'idiot de la famille*, Paris, Gallimard, 1972, vol. III, pp. 138 ss.

melhor parte. É como se o conformismo nas coisas essenciais autorizasse, para proveito e edificação gerais, a investigação das razões às vezes insólitas que ocorria serem as verdadeiras da vida familiar. Daí a liberdade na "transcrição de costumes",[14] a disposição de ver muito e complexamente, de que vão resultar os assuntos propriamente novos e notáveis. Tolhida embora pela reverência, é onde a força do escritor salta aos olhos, no número e na qualidade das suas observações, das formulações e mesmo do vocabulário, mal contidos na camisa de força dos bons princípios. O movimento é inesperado, e entra como variante em nosso quadro da perversão das importações. Contra o materialismo de "certa escola francesa"[15] era preciso espiritualizar os fundamentos da ordem social. Entrando pelo atoleiro das almas (matéria espiritual entre todas), com força e gosto, e provando neste descaminho a sua qualidade de escritor moderno, Machado fazia obra de apologeta — num certo sentido. Já noutro, estava desbastando o território — grato ao gosto conservador — da dominação e da submissão pessoal, cuja economia lhe caberia valorizar. Vista de perto, esta não seria menos materialista que a outra. É contudo um dos pilares verdadeiros de nossa vida social.

Do ponto de vista da reorganização da matéria romanesca, o movimento é semelhante. Se não é dado ao raciocínio reduzir a família a forças menos sagradas, os valores dela serão elementos finais e acatados. Passa a ser ela a origem do impulso analítico. Ora, a inspiração familiar não dá o mesmo resultado literário que a inspiração individualista. Ganha-se em verossimilhança brasileira, no plano mais íntimo, do movimento da análise e da construção, e perde-se em desenvoltura crítica — há perda,

---

[14] "Antonio José", *in Relíquias da casa velha*, *OC*, vol. II, p. 702.

[15] "Instinto de nacionalidade", *OC*, vol. III, p. 818.

de fato, se concordarmos em que a dicção desinibida e audaciosa do individualismo, de que Alencar tinha alguma coisa, e de que os realistas franceses e o segundo Machado têm muita, era e é um ideal estético. Está-se vendo que a valorização ideológica de um assunto pode ter consequências no plano formal... Estamos no polo oposto ao de *Senhora*. — A perspectiva individualista sublinhara, como vimos, a degradação progressiva de tudo e todos, ligada aos efeitos do dinheiro e da competição. Já Machado insiste no respeito e no decoro com que os conflitos se devem solucionar. Conformismo? certamente. Senso da realidade? também, pois a generalização da troca mercantil, que é o fundamento do radicalismo crítico do romance francês, não se produzira entre nós. Ora, basta pensar intocáveis as razões da família, que é sacramentada, plural e proprietária por definição, para que haja sempre pessoas e coisas "autenticamente" valiosas, em relação às quais não ocorre o cálculo instrumental, que fica impedido de se universalizar.[16] A diferença ressalta bem na maneira de encarar a ascensão social: num caso aponta-se para o preço desta, ainda quando é bem-sucedida, pois o carreirista transforma a si e aos outros em degrau; no outro estudam-se as condições em que ela, em si mesma desejável, se completa com dignidade, para bem do próprio carreirista, mas também das boas famílias, que beneficiam de seu talento, e finalmente de nossa sociedade brasileira, que precisa aparar as suas irregularidades e aproveitar o elemento humano de que dispõe. Em lugar da oposição absoluta de indivíduo e sociedade, da instrumentalização geral e do correspondente radicalismo crítico, estão a comunidade de costumes, de interesses e crenças, o desejo de melhorar e o arranjo. Favor, cooptação, sutilezas da conformidade e da

---

[16] Cf. L. Goldmann, *Pour une sociologie du roman*, Paris, Gallimard, 1964.

obediência substituem, no miolo do romance, o antagonismo próprio à ideologia do individualismo liberal. São cálculos de um outro gênero, branqueados, para seu grande prejuízo artístico, pelos zelos do narrador. Em sua fase madura, instalado familiarmente nesta lógica diversa, Machado irá examiná-la por seu turno — segundo uma perspectiva que ainda veremos — deixando-lhe a santidade em calcinhas. Nem por isto lhe recusa a eficácia, e até o fim seguirá aprofundando os seus efeitos para a forma literária. Condenava-se a ser um escritor atrasado? Mais tarde voltaremos à questão. Por agora, vejamos que afastando-se da tradição forte do Realismo — em que se inspirava Alencar — e apoiando-se na literatura francesa recente, de segunda, Machado montava um dispositivo literário mais chegado à nossa realidade. De fato, a ideologia familista recorta a sociedade segundo linhas que a evolução europeia tornara obsoletas e mentirosas, razão pela qual só o romance apologético a tomava por fundamento. Já no Brasil, longe de disfarçar o processo da proletarização, que era mínimo, a idealização da família move a narrativa em linhas que guardavam contato com a prática multiforme e quase universal do paternalismo. Não deixava de ser mentirosa, mas prestava-se para núcleo romanesco, ao qual a matéria de observação se podia agregar sem artifício e sugestivamente, beneficiando da infinidade das ligações inteligíveis que o processo real tece. Não é outro, afinal de contas, o problema de qualquer romance: um princípio formal, capaz de acolher a empiria.[17]

---

[17] "O romance foi a forma literária específica da era burguesa. Em seu início, no *D. Quixote*, encontra-se a experiência do mundo desmitificado [*entzauberte Welt*]. E até hoje o seu problema está na assimilação artística da existência contingente [*blosses Dasein*]." Th. W. Adorno, "Standort des Erzaehlers im zeitgenoessischen Roman", *in Noten zur Literatur* I, Frankfurt/M., Suhrkamp, 1958, p. 61.

2. *A mão e a luva*

"um bom cálculo, [...] todo filho do coração..."[1]

A julgar pelo seu plano, *A mão e a luva* é um passatempo ligeiro e indulgente — da indulgência que têm consigo mesmo as boas famílias. Uma menina de origem humilde, que será adotada pela madrinha rica, hesita entre os seus três pretendentes: o primeiro é romântico e fraco, o segundo é sem graça e sobrinho da baronesa, à qual a menina deve a posição em sociedade, e o terceiro é forte, além de conquistar o coração à sua amada. Vencidos os percalços necessários, o final é feliz. Já pelo seu trabalho analítico, o livro foge ao comum. Procura formular e poetizar — aí a surpresa — o interesse bem compreendido das partes, em questões de cooptação, no que procede com reflexão e audácia. Resulta uma espécie de conformismo insolente, expedito, antepassado da modernização reacionária de nossos dias, em que inteligência, vitalidade e antipatia se dão as mãos. Próxima da realidade prática, distante das idealizações mais inocentes, esta perspectiva não se pode conciliar, e muito menos subordinar, à primeira, do passatempo, de que difere em malícia e peso. O

---

[1] *A mão e a luva*, *OC*, vol. I, p. 116.

convívio das duas não podia ser de bom efeito. Quanto à obra futura, assistimos aqui à consolidação de parte da sua matéria.

Usando de "tino e sagacidade",² Guiomar procura substituir-se junto à madrinha à filha que esta perdeu. Sai bem da empresa, e deixa de ser "a simples herdeira da pobreza de seus pais".³ Mas o que pensar de sua conduta? "Guiomar correspondia aos sentimentos daquela segunda mãe; havia talvez em seu afeto, aliás sincero, um tal encarecimento que podia parecer simulação. O afeto era espontâneo; o encarecimento é que seria voluntário."⁴ O leitor terá sentido a dubiedade da exposição, que traz os antagonismos costumeiros, entre espontâneo e voluntário, sincero e simulado, sentimento e interesse — para negar-lhes a pertinência: os cálculos da heroína não se opõem ao seu coração, de que são o prolongamento, e se acaso incitam às efusões um pouco sublinhadas, não fazem mal, fazem até bem. Diversamente a condução da frase, que devolve aos cálculos a conotação negativa, que o argumento levara embora. A dubiedade se repete com frequência, às vezes em versão carregada. Guiomar é fria, refletida em excesso, dada a imposturas e táticas? Mas sempre no interesse de seu bom natural.⁵ "Impostura, digo eu, devendo entender-se que é honesta e reta, porque a intenção da moça não era mais do que não amargurar a madrinha, e tirar-lhe o motivo a qualquer aflição antecipada."⁶ Impostura honesta, simulação sincera e mais outros paradoxos, o movimento repete-se e consiste em suspen-

---

² *Idem*, p. 130.

³ *Idem*, p. 127.

⁴ *Idem*, p. 129.

⁵ *Idem*, pp. 145, 171-2, 176 etc.

⁶ *Idem*, p. 172.

der o sistema das oposições românticas, *depois de o ter trazido à baila*. Guiomar (o cálculo) utiliza-se da madrinha (o coração enlutado) como trampolim para a fortuna? Não, pois a moça "correspondia ao sentimento daquela segunda mãe", e quem corresponde está na esfera do recíproco e natural, inocentado da manipulação, própria de quem "usa". Mas sempre é verdade que Guiomar procede com tino e sagacidade... Mesma coisa quanto ao casamento da moça, que resulta da "fria eleição do espírito",[7] recaindo a escolha em cavalheiro rico e ambicioso, que além do mais será deputado. O cálculo, que aos românticos parecerá contrário ao sentimento, na verdade era "todo filho do coração",[8] pois a heroína desde pequena tinha queda para a vida elegante, que ia bem com o seu instinto.[9] Contudo, por que será fria a eleição? Primeiro passo, o comportamento premeditado é exposto à luz do Romantismo convencional, que o condena. Segundo passo, a condenação não tem cabimento, pois postula um antagonismo que na prática, isto é, nos termos do conflito central, não existe (Guiomar é previdente, e não premeditada). E terceiro passo, que dá o sal ao livro e conserva em suspensão os outros dois, o comportamento que parecia condenável, embora na verdade fosse até recomendável, até o fim virá evocado em palavras que incriminam (Guiomar é dita premeditada, embora seja previdente): a terminologia do cinismo e da virtude são levadas a coincidir, e o comportamento condenado é exatamente o que convém. Em suma, o movimento da cooptação entrosa cálculos e sentimentos numa mesma aspiração, e modifica os termos do proble-

---

[7] *Idem*, p. 165.

[8] *Idem*, p. 116.

[9] *Idem*, p. 130.

ma, guardando-lhes no entanto a nomenclatura conflituada. Os lados ignóbeis desta "harmonia" estarão entre as matérias favoritas do segundo Machado. Já o primeiro tem nela um ideal. *Assim, o desmentido que a realidade inflige às apreciações românticas veio a ser um elemento formal, algo como um timbre de prosa.* A sua afinidade com a ordem real está clara, basta lembrar que o país literário e sentimental era então da área do Romantismo, ao passo que ascensão social e casamento estão inscritos na esfera da cooptação. Mais de perto, note-se no desmentido a estridência muito pronunciada, e às vezes insolente. A solução é um pouco fácil, mas não é superficial: trata-se de uma posição refletida, em que se reivindica a realidade das relações locais contra os sentimentos "literários" vindos da Europa. Com perdão do anacronismo, uma espécie de quinau da realidade na cultura alienada, quinau ambivalente, em que estão juntos o ataque à ilusão e a aquiescência à desigualdade social. No plano das personagens encontra-se atitude semelhante, na simpatia pelas ambições rasteiras mas fortes; pelo apetite terreno e conformista de Guiomar — uma heroína de choque, sob medida para o Brasil, da raça que o Romantismo não amoleceu e a tradição não intimidou. De fato, a moça — cujo ideal se resume em luzimento social, uma boa casa com bons móveis e um marido em boa posição — contrasta vantajosamente com as paixões chorosas de Estêvão, e com a inércia de Jorge, o sobrinho da baronesa, que espera sentado pelos benefícios de seu sobrenome. Contra as ideias sem pé na terra, e além do mais estrangeiras, e contra o tradicionalismo cego, Machado defende o interesse bem compreendido da sociedade brasileira: é preciso promover uma gente moderna, com iniciativa, dura se necessário, para... constituir família segundo princípios positivos, da conveniência dos ricos e dos pobres mais dotados. A mesma coisa observa-se no plano dramático, da composição, quanto aos conflitos em que se envolve Guiomar. O amor romântico, indiferente às vantagens materiais, aparece na figura de Estêvão, mas para ser posto de lado. Evoca na heroína "alguma simpatia, sim, mas leve e sem consequência".[10] Já o dilema central pertence a outra ordem: acatar passivamente a vontade da baronesa, que é de casar a afilhada com o sobrinho Jorge? ou manobrar em direção de Luís Alves, o preferido, que tampouco ofende as normas da madrinha, além de ser um partido até melhor? A conformidade social e familiar não periga com nenhum dos dois, pois os rapazes são inatacáveis sob esse aspecto. O que está em jogo é a concepção do favor. A moça deve obediência irrefletida à sua benfeitora, ou terá direito de levar em conta os seus próprios desejos, de procurar um compromisso entre o seu interesse e os deveres da gratidão? Em termos mais gerais, Machado opõe ao paternalismo autoritário e tradicionalista um paternalismo esclarecido, que aproveita os dons naturais e a iniciativa do beneficiado, em lugar de sacrificá-los. Uma linha nacional de progressismo, a plataforma deste livro... E observe-se, por fim, que desde a primeira página o sentimento romântico de Estêvão é cômico, apresentado que está como byronismo descabelado e estrangeiro, e sobretudo como superficialidade, em contraste com a inteligência do real, muito valorizada em Guiomar e Luís Alves. Ora, o percurso clássico e tenso do romance realista europeu, que só o ponto final vem completar, pode resumir-se na perda mais ou menos gradual das ilusões: os fatos da vida burguesa demonstram a inviabilidade do Romantismo, o qual nem por isso é uma tolice, nem perde a força por sua vez de lhes expor — aos fatos — a iniquidade. Concebendo já de entrada o Romantismo como ideologia de segundo grau, Machado esca-

---

[10] *Idem*, p. 145.

pava às implicações desse percurso, que fica distendido, incorporava à sua literatura um dado essencial da vida brasileira, e via-se a braços com um problema novo e capital, para o qual só mais tarde acharia solução: qual a curva própria à vida de suas figuras? Qual a forma para o seu enredo?

Dando um balanço, está visto que o número das inovações literárias é grande, em acento, personagens a estudar, conteúdo ideológico e disposição dramática dos conflitos. O leitor terá notado nelas o parentesco, pelo lado da realidade. Uma verdadeira coleção de soluções, todas elas complexas, nisso que trazem o universo do favor e liberal sempre articulados. O que em Alencar era convívio esporádico e sem necessidade interna, em Machado é problema e sobretudo premissa posta na própria construção: já não se trata de encontrar aqui e ali a incongruência entre as ideias românticas e o tecido da sociedade local, mas de reunir estes termos no plano durável e generalizador das formas, onde a sua discórdia será elemento de vida. Quanto aos motivos do escritor, faltam as precisões, mas não parecem misteriosos. Que a boa sociedade se deva abrir ao talento dos desfavorecidos naturalmente parecia interessante a Machado, pois era o seu caso. É compreensível também, na circunstância, que as normas românticas lhe parecessem antes um estorvo do que profundas. São posições de fundamento prático claro e que na época decerto eram bem difundidas. O mérito esteve em lhes ver os desencontros, passando-os de fatos perdidos na vida corrente a germens de construção romanesca e interpretação da existência. Noutras palavras, as relações de favor vieram a ser bem mais do que um assunto. Puxando as ideias liberais para dentro de seu campo de gravitação, dão origem a um território com problemas, conflitos, prioridades e meandros próprios. Esta lógica reitera uma lógica real, naturalmente sem reproduzir a realidade inteira. Aqui o fundamento da tão singular brasilidade sem pitoresco, que todos reconhecem a Machado, e que ele próprio ambicionava.[11] Mas é certo também que só na segunda fase esta lógica estará desenvolvida sem entraves. *A mão e a luva* elabora-lhe alguns elementos e beneficia deles, subordinados porém à inconsequência rigorosa da literatura leve. Donde a impressão duvidosa deixada pelos romances da primeira fase: não são melhores que os seus predecessores, sendo bastante mais encorpados. A densidade é devida às formas de que falamos, que no sentido simples da palavra são genuínas, pois representam generalizações da prática social. Era natural que a matéria avulsa do cotidiano brasileiro (imagens, modos de dizer, concepções, costumes, civilização material etc.), que fora parte de seu chão nativo, lhes respondesse e formasse com elas uma substância literária mais armada, de teor relacional mais alto, já não pitoresca. No entanto, por conta da ironia das coisas artísticas, a verdade é que o resultado saía pior. O ajustamento formal a que assistimos solucionava inconsistências anteriores, mas produzia também outras novas, com a diferença para estas últimas de serem agudas e carecerem de ingenuidade. Quando é acertada, a assimilação de contradições sociais no esqueleto romanesco cria um contexto mais exigente, de que a racionalidade do processo real é um elemento — elemento que lhe infunde a especial seriedade, particular ao romance realista. Inconsistências

---

[11] Veja-se o trecho famoso, sobre o instinto da nacionalidade: "O que se deve exigir do escritor, antes de tudo, é certo sentimento íntimo, que o torne homem do seu tempo e do seu país, ainda quando trate de assuntos remotos no tempo e no espaço. Um notável crítico da França, analisando há tempos um escritor escocês, Masson, com muito acerto dizia que do mesmo modo que se podia ser bretão sem falar sempre do tojo, assim Masson era bem escocês, sem dizer palavra do cardo, e explicava o dito acrescentando que havia nele um *scotticismo* interior, diverso e melhor do que se fora apenas superficial". *OC*, vol. III, p. 817.

passam, neste caso, a ser questões de lógica literária tanto quanto social, e nesta qualidade mesclada elas vêm a ser intoleráveis. A irritação deixada pelos romances da primeira fase machadiana é ligada a esta espécie mais substanciosa de inconsistência, e assinala, além do defeito, a constituição de um realismo brasileiro.

Neste sentido, vejamos um trecho dos mais representativos. Quase no final, quando já se havia dado conta das disposições carreiristas da heroína — "não há dúvida; é uma ambiciosa"[12] —, Luís Alves sente no peito a confirmação da simpatia antiga. Declara-se à moça, e é correspondido, pois o coração dela também fora agradavelmente tocado. Leiam-se os comentários do narrador, em que estão retomados outros anteriores e que nesta altura têm algo de conclusão:

> "Guiomar amava deveras. Mas até que ponto era involuntário aquele sentimento? Era-o até o ponto de lhe não desbotar à nossa heroína a castidade do coração, de lhe não diminuirmos a força de suas faculdades afetivas. Até aí só; daí por diante entrava a fria eleição do espírito. Eu não a quero dar como uma alma que a paixão desatina e cega, nem fazê-la morrer de um amor silencioso e tímido. Nada disso era, nem faria. Sua natureza exigia e amava essas flores do coração, mas não havia esperar que as fosse colher em sítios agrestes e nus, nem nos ramos do arbusto modesto plantado em frente de janela rústica. Ela queria-as belas e viçosas, mas em vaso de Sèvres, posto sobre móvel raro, entre duas janelas urbanas, flanqueado o dito vaso e as ditas flores pelas cortinas de cachemira, que deviam arrastar as pontas na alcatifa do chão."[13]

---

[12] *OC*, vol. I, p. 153.

[13] *OC*, vol. I, p. 165.

Ninguém dirá que a passagem é bonita, mas é inegável alguma força, ligada à consideração das coisas em seu conjunto contraditório e conciso, e ligada sobretudo à construção ambígua, em que as restrições morais são elogios e vice-versa. Para apreciar o seu travo, convém repetir ainda uma vez que a figura de Guiomar é positiva, muito mais do que o trecho parece indicar. Um desacordo em que o leitor há de reconhecer o movimento de que falávamos atrás, a insinuação do prisma romântico seguida — ou precedida, no caso — de sua depreciação. Paixão desatinada e cega, sentimento involuntário, amor silencioso e tímido, são expressões que trazem à cena o ponto de vista do Romantismo, para o qual o afeto (natureza) se não é incondicional está degradado (pela coação das conveniências). Ora, Guiomar amava deveras, mas sem desatino, cegueira ou timidez, e o seu sentimento é involuntário só em parte. Repisando um pouco, sentimento espontâneo e fria eleição do espírito não estão opostos, como o positivo ao negativo, mas aliados, e a sua conciliação não é obra apenas de um acaso feliz. Pelo contrário, ela é representativa da reciprocidade natural à prática paternalista, em que a espontaneidade não é toda boa, o cálculo não é todo ruim, e os dois são imprescindíveis. Em termos de composição romanesca, a conciliação está caucionada pelo conflito central: no quadro estrito da cooptação familiar, a luta por bons termos de conciliação não diminui, antes engrandece a pessoa, e lhe permite dar provas de seu valor, enquanto os absolutos da ideologia romântica passam longe da realidade. Contra os dilemas postiços a que nos dispunha o satelitismo mental, Guiomar é uma afirmação de vida e inteligência locais. A nota picante vem na reabilitação perversa de noções muito marcadas: espírito frio, desdém pela vida modesta e rústica, anseio por conforto e riqueza convertem-se em qualidades, com o prestígio extra de saírem de um combate em que representavam a clareza, contra a imitação acrítica. Uma conversão que também ela não chega a convencer inteiramente, pois ao seu momento crítico vem juntar-se um outro, que torna especioso o conjunto. — De fato, genericamente, na ausência do individualismo liberal o estigma que o Romantismo havia aposto aos cálculos sociais perde o fundamento, e estes voltam a ser o que sempre foram, uma das melhores forças do homem. Desculpabilizada, a inteligência dirige-se ao que espontaneamente lhe apetece — *mas ocorre que nesta altura os bens da vida no Brasil pré-burguês estavam tomando forma burguesa*, aquela mesma forma cujos aspectos detestáveis o Romantismo fixa com profundidade. Este é um fato de muita consequência real e literária, e assinala o limite de nossa diferença nacional. Assim, digamos que as ambições de Guiomar são da espécie mesma a que se aplica a crítica romântica, a qual contraditoriamente não se aplica a ela, porque o universo da heroína é regido pela reciprocidade. Como ficamos? O problema diz respeito ao livro em seu conjunto: a utilização distanciada do vocabulário romântico, o elogio de uma personagem imunizada contra as suas tensões, a posição secundária do Romantismo na geografia dramática, o primeiro plano ocupado por um conflito da esfera paternalista, a consideração do Romantismo enquanto moda e não problema — são formas enérgicas de desobstrução mental e afirmação da diferença brasileira; porém, uma vez posto de lado o constrangimento romântico, entram pela porta os seus inimigos de sempre, que o argumento nos levara a acreditar ausentes, o preço, a propriedade e o *status* social, com a vantagem suplementar da impunidade. Noutras palavras, a civilização material respirava o mesmo individualismo cuja inexistência se quisera provar. E mais, a reivindicação do paternalismo parece estar de mãos dadas com a reivindicação da riqueza moderna, isto é, urbana, com forma de mercadoria e sem vínculo tradicional, a riqueza justamente que despertara a revolta romântica, além de não ser expressiva do universo paternalista. Um erro de composição, sim, mas que vem completar o quadro ideológico do romance, que perde em coerência literária e simpatia humana, e ganha em representatividade nacional. A tese é simples: como o Romantismo não tem razão de ser entre nós, pois não somos um país burguês, viva a opulência burguesa, pois não somos românticos! O sofisma está claro e é viabilizado por uma espécie de encurtamento voluntário do horizonte moral, que a despeito da empostação inocente é uma das intenções principais de *A mão e a luva*. Com sua ajuda, a consideração do Romantismo à luz de nossa realidade passava de procedimento crítico, que é, a peça de ideologia. Arguida a propósito da esfera paternalista, a improcedência das concepções românticas é fixada e estendida abusivamente, dando cobertura moral e racional, num segundo momento, à propriedade e ao prestígio burgueses, que sendo também parte de nossa realidade, ficavam legitimados sem restrição, e por assim dizer aconselhados. No mesmo passo, aplicando-se em dizer sobretudo o que não somos, isto é, burgueses à europeia, a linha antirromântica do argumento chama a si toda a atenção, e poupa o que somos; as relações paternalistas são analisadas com finura, mas não em veia crítica, o que é também uma forma de legitimação. Do ponto de vista de nossas elites não era possível pedir mais: o paternalismo é sutil, complexo, flexível, não é atrasado, as novas formas de propriedade não são imorais, e as duas esferas não se chocam, antes se completam, irmanadas que estão no acordo quanto à inépcia dos critérios românticos. Em suma, a crítica das fantasias críticas — fantasias em que o reboquismo ideológico brasileiro de fato está refletido — vem dar em aquiescência pura e simples, mas aprofundada e algo cínica, com a ordem real. Um conformismo inteligente, que busca dar coerência e mais apuro à expressão dos interesses de nossas classes dominantes. Este o sentido ideológico de *A mão e a luva*. — Isso posto, indicado o caráter sumário e interessado desta "solução", vejamos que o seu problema existe e tem alcance. Em nossa análise, o elemento portador da contradição e da incoerência literária foi o luxo burguês. A sua presença não é fortuita, e as questões que levanta também não. Como se sabe, a hegemonia cultural da Europa não se limitava às ideias. Mais que nelas, repousava nos objetos de consumo, que importávamos, e que à sua maneira também são veículos de ideologia, mais difíceis de criticar aliás, e impossíveis de descartar, por serem parte do fluxo econômico normal — sirva de exemplo a própria Guiomar, que é cética em matéria de Romantismo, e crente quando se trata de vasos de Sèvres. Sem descanso, a reprodução do sistema econômico internacional prendia os olhos e desejos da elite brasileira a coisas e ideias sem qualquer continuidade com as nossas relações sociais de base, que ficavam relativamente emudecidas, sem coroamento na civilização material e ideológica. Incongruência de efeitos enormes, difíceis de medir, que era um fato cotidiano de nossa vida, um símbolo apropriado de nossa posição na divisão internacional do trabalho, e o insolúvel problema ideológico dos beneficiados da ordem brasileira, que naquele tempo como hoje procuravam gozar das vantagens combinadas do atraso social e do progresso material.[14] Retomando o nosso fio, concebe-se que a pequena

---

[14] Em estudo recente, C. Furtado aprofunda a análise desta descontinuidade, e a considera não só enquanto imitação desencontrada, mas também enquanto elemento causal do subdesenvolvimento. Os passos seriam os seguintes: com base no comércio internacional ampliado, surge uma nova divisão internacional do trabalho, impulsionada pela Inglaterra, entre países que se industrializam e países que fornecem matéria-prima e alimentos. Nestes segundos, os grupos dominantes são levados a utilizar a sua riqueza importando os novos bens de consumo, produzidos pela economia industrial. Neste sentido, *modernizam-se* à custa da produção extrativa ou agrícola, que, ela, fica onde estava (aqui a incongruência de

história de Guiomar reúne muito destiladamente os elementos de totalidade necessários a uma representação problematizada da vida do país, sem considerações de pitoresco. A despeito da esfera restrita, é uma transposição já depurada e aprofundada de nosso processo real, e a reflexão a que convida é substanciosa. Não obstante, estamos ainda uma vez diante de um acerto que não convence, pois a distância entre a modéstia da anedota e a ambição do quadro analítico a que se associa é um dos defeitos ób-

---

que falávamos: "As elites locais estiveram, assim, habilitadas para seguir de perto os padrões de consumo do centro, a ponto de perderem contato com as fontes culturais dos respectivos países"). As consequências aparecerão mais adiante, na fase da chamada substituição das importações, quando estes países embarcam na industrialização e procuram produzir o que importavam: a "constelação de bens consumidos pelos grupos modernizados" vai ditar a direção do esforço industrial, pois "às classes dirigentes, que assumiram as formas de consumo dos países cêntricos, não se apresenta o problema de optar entre essa constelação de bens e outra qualquer". Ora, esses bens implicam em métodos produtivos próprios, que não têm relação com o nível local de acumulação do capital. Em consequência, "o aparelho produtivo tende a dividir-se em dois: um segmento ligado às atividades tradicionais, destinado às exportações ou ao mercado interno (rural e urbano) e outro constituído por indústrias de elevada densidade de capital, produzindo para a minoria modernizada". Como este segundo segmento necessita, para sobreviver, do excedente gerado pelo primeiro através do comércio internacional, modernização e desenvolvimento das forças produtivas são complementares da opressão e superexploração de grande parte da população, que continuará em nível de subsistência. E enfim, já em fase posterior, a evolução acelerada e cara da tecnologia vai tornar inócua a importação de soluções técnicas isoladas, que logo em seguida estarão velhas; é preciso associar-se ao próprio fluxo da inovação, isto é, às grandes firmas internacionais que detêm o seu monopólio. A dependência nacional vem coroar o subdesenvolvimento. Cf. C. Furtado, O *mito do desenvolvimento econômico*, especialmente cap. II, "Subdesenvolvimento e dependência: as conexões fundamentais", Rio de Janeiro, Paz e Terra, 1974.

vios do livro. Seja como for, os ajustamentos operados são consideráveis: as concepções romântico-liberais estão desqualificadas, enquanto forma superficial de conformismo, o que era justo, mas a bem de um conformismo mais penetrante, que reivindica uma versão modernizada de paternalismo, flexível na cooptação e aberto para as vantagens modernas. Um paternalismo que reaproveita a injustiça antiga e a nova em um todo que se quer progressista e sem preconceitos. Comparando a Alencar, a solução é bem mais refletida e conforme com a realidade. Mas não agrada, e dificilmente alguém dirá que este livro é melhor que *Senhora*. Especificando, digamos no caso que a busca da clareza ideológica desacredita um modismo inadequado, mas para acreditar uma inconsistência socialmente substantiva, que responde ao interesse muito particular e excludente de uma liga paternalista dos abastados e dos bem-dotados. E se é certo que a percepção da racionalidade social e a sua incorporação à forma literária fazem progressos na circunstância, o romance que saiu é menos apreciável. Entre a ilusão generosa e o realismo cínico... Cem anos depois, a crítica elitista do liberalismo conserva aspectos semelhantes, menos a parcela de independência mental. Também hoje os que insistem na inépcia das exigências liberais para o Brasil, que não é a Europa, têm razão — o que lhes permite a prática descomplexada e violenta da injustiça social, em nome do progresso e da modernidade de espírito.

Mas voltemos ao "Guiomar amava deveras", citado mais atrás. Em nossa análise percorremos o caminho que leva da defesa da inteligência à reivindicação de uma casa luxuosa. À luz do movimento geral do livro, mostramos que este caminho é concebido como positivo e exemplar. E assinalamos também o contraste entre esta concepção e o descaramento progressivo que é o movimento do trecho ele próprio. Um contraste em que vai alguma coqueteria literária, mas sobretudo a ideia formal e a envergadura problemática do romance. Em suas grandes linhas, vimos o bem-fundado social desta constelação, e neste sentido a sua justeza como reflexo da realidade, maior do que se poderia supor. Vejamos agora em pormenor o seu movimento próprio, que se poderia chamar também o seu rendimento romanesco, em que a intimidade das premissas até certo ponto se revela. Neste plano, a lógica da composição — a fidelidade às premissas, que são nacionais, como vimos — e a exploração da realidade são solidárias, ou melhor, a profundidade desta depende da coerência e da viabilidade daquela. Comecemos ainda uma vez pelo jogo numeroso das apreciações morais, muito retorcido, que é um fator de interesse intrínseco, e é também a revelação de uma complexidade objetiva, que não havia encontrado ainda a sua manifestação nas letras. A reconstrução do travejamento formal em linhas aparentemente inglórias dava à prosa de Machado — e reconhecia à nossa sociedade — o que no universo do romance é o prestígio verdadeiro, uma trama social complexa, cerrada e lógica, além de original. Serão mais exemplos do que já dizíamos, do acréscimo em densidade literária e mimética, sem vantagens finais de qualidade. — Guiomar amava deveras, *mas* até que ponto era involuntário o seu sentimento? era-o *até o ponto* de não lhe ficar desbotado o coração, de não lhe diminuirmos a força afetiva, *até aí só; daí por diante* começava a fria eleição do espírito. Veja o leitor que doutrina e gramática no caso não estão dizendo a mesma coisa. Uma (que naturalmente não se configura a partir só deste trecho, mas ao longo do livro todo) afirma a parceria harmoniosa de espontaneidade e espírito no interior do amor, que era um amor "deveras"; enquanto que a outra, com os seus *mas, até o ponto, até aí só, daí por diante*, leva água ao moinho do romantismo, e faz supor que a parte dada ao espírito na verdade representa prejuízo para a outra, que fica subordinada. Portanto, afirmação de um sentimento sem mácula, e sugestão de dúvida a esse respeito, tudo num mesmo movimento. "Eu não a quero dar como uma alma que a paixão desatina e cega, nem fazê-la morrer de um amor silencioso e tímido. Nada disso era nem faria." Como Guiomar, que não era nem faria nada disso, o narrador não vai fazer concessões à moda romântica. Também ele é um desses espíritos positivos, que o livro recomenda. Vai dizer a verdade e não vai enfeitar, ainda que não agrade. Neste sentido há qualquer coisa sublinhada no *não quero*, no *Nada disso era*, que é como uma lição de dureza, a qual emenda nas suspeitas anteriores quanto à naturalidade dos motivos de Guiomar, para confirmá-las, e que sobretudo põe como decepcionante o que fora positivo duas linhas atrás. Aliás, se retomarmos o *Eu não a quero dar* com ênfase na primeira pessoa o leitor talvez concorde em que o narrador não só diz que não vai mentir, como diz "não sou *eu* quem vai mentir nesta matéria", no que se alinha entre os que a experiência da vida desabusou. A parte de decepção na atitude "positiva" torna-se mais palpável na frase seguinte, em que *não há esperar* que Guiomar goste de pobres. Elogio insolente do bom-senso, constatação, lamentação velada, homenagem aos poderosos? de tudo isto há um pouco. "A sua natureza exigia e amava essas flores do coração, mas não havia esperar que as fosse colher em sítios agrestes e nus, nem nos ramos do arbusto modesto plantado em frente de janela rústica." O leitor dirá se forçamos a nota, pensando que no "não havia esperar" existe algo como "ninguém espere, quem lhes diz é um que esperou". Seja como for, observe-se que a esfera da espontaneidade, imprescindível ainda há pouco à "força das faculdades afetivas", agora consta entre as "flores do coração", uma expressão que no contexto é também ela desabusada e algo depreciativa, e em que se desmerecem tanto as flores como o coração, reduzidos a significar as superfluidades que dão perfume à vida. Completou-se a inversão: a espontaneidade romântica vem a ser um amável artifício, e a verdadeira naturalidade é a de Guiomar, que tira partido, isto é, que evita o que for agreste, nu, modesto ou rústico, para em seguida exigir — sem prejuízo do sentimento — o vaso de Sèvres, o móvel raro, a cortina de cachemira, e, com traço ainda mais grosso, o *dito* vaso e as *ditas* flores, uma insistência que varre o que restava de ilusão, levando a cabo a transformação de vaso e flores em signos convencionais do bom-viver burguês, — o mesmo que seria falta de naturalidade não apreciar. É claro que este sentimento incondicionalmente alinhado com os ricos é o escárnio do outro. Quanto ao narrador, de endurecido pela decepção passa a cínico diplomado. Na outra linha, abrindo o parágrafo, "Podia dar-lhe Luís Alves este gênero de amor? Podia; ela sentiu que podia".[15] — Tomada a passagem no seu conjunto, pode-se dizer que a cada nova precisão, trazida para dirimir uma suspeita anterior, piora o quadro geral, e as explicações mais inquietam do que tranquilizam. Um movimento que em aparência é um sarcasmo, mas que fica suspenso e não fere, pois supõe a distribuição romântica dos acentos, em que o sentimento é positivo, em oposição à mercadoria, que é negativa — ordem que neste livro é posta como ilusão. Entretanto, o movimento não é também desautorizado inteiramente, e vale quando convém. Assim, nas poucas linhas de um parágrafo, a excelência de Guiomar pode abrigar-se na autoridade de prestígios os mais diferentes, tais como o natural não desbotado, o espírito frio, as paixões sob controle, a bossa da riqueza. São razões apreciáveis, que confortam a quem as acata. Guiomar justifica-se com todas, sem nunca abrir mão da conformidade, o que é possível, já que Machado não lhes assinala a contradição. E pouco importa se o narrador é obrigado a se desdizer de linha em linha, uma vez que também ele tenha sempre

---

[15] *Idem*, p. 165.

a caução dalguma autoridade — também ele é uma espécie de Guiomar. Na passagem que estudamos, esta inconsistência toma caráter por assim dizer demonstrativo, o que lhe aumenta o interesse literário. Como o próprio Machado mais tarde riria — naturalmente a propósito dos outros — do odor de mérito e virtude que acompanhava esta galeria de sofismas, podemos descontá-lo: o leitor verá que passa do ruim ao excelente, e que está diante da boa literatura machadiana da maturidade. No esforço de dar coerência e foro literário às idas e vindas da cooptação, Machado elaborava um percurso em que a espontaneidade era sucessivamente enaltecida, confinada, ironizada e desnaturada, em que a ambição consta como baixeza, necessidade, naturalidade e qualidade social eminente, sem que entre essas estações pareça haver conflito. Mas basta despregá-las da premissa edificante, para reconhecermos a fixação literária do oportunismo vivaz e rasteiro que, em coisas de ideologia, o liberal-escravismo paternalista não podia deixar de suscitar, e que seria um dos temas dominantes da segunda fase de Machado.

Completando enfim o paralelo com Alencar, vejamos que a experiência do paternalismo e seu primado no plano formal estão explorados e sistematizados nestas soluções, sem que no entanto elas deem conta satisfatória da outra metade da matéria, originada no mundo mais moderno do individualismo burguês e da civilização mercantil. Como em Alencar, não são falhas contingentes, ligadas que estão ao empenho de dar racionalidade e lustre à situação de nossas elites, e também como em Alencar o seu impasse artístico tem valor mimético, e é matéria literária da melhor. É nelas justamente que o interesse social encontra a sua transcrição verdadeira. Quanto à intenção de Machado, a junção das duas esferas é por assim dizer um ideal de pragmatismo e progresso, e é dissonante só em aparência: contrariamente ao que pretende a doutrina romântica, o quadro familiar beneficia da desenvoltura utilitária dos indivíduos, ao mesmo tempo que a subordina e lhe tira o veneno; a família é penhor de altruísmo, o egoísmo é penhor de inteligência, e os dois juntos são a perfeição. Entretanto vimos que o contexto incita a uma leitura em sentido contrário. Longe de redimir o cálculo das personagens e o luxo burguês a que aspiram, a ordem familiar revela-se ao seu contato, e aparece como o que é, uma outra forma de particularismo. Em suma, existem o pragmatismo e o progresso recomendados por Machado, mas são para poucos, e a tentativa de irmaná-los com a justiça e o interesse geral é um sofisma quase ostensivo. Em consequência, os momentos em que a intenção do livro adquire mais relevo são simplesmente horríveis (embora fortes, enquanto que o resto além de ruim é apagado). São passagens em que a parcialidade social do raciocínio está indisfarçada, em que o romance perde a respeitabilidade própria à busca da coerência intelectual e formal. E involuntariamente são exemplos da melhor comicidade machadiana da segunda fase. Este é o caso, quando Luís Alves diz a si mesmo "Não há dúvida, [Guiomar] é uma ambiciosa",[16] para logo em seguida dizer à moça "a senhora tem uma alma grande e nobre", e "eu a admiro", palavras estas que "eram singularmente dispostas para deixar sulco profundo na memória da moça"[17] — tudo a sério, sem intenção de troça. Outro exemplo é o detestável fecho do livro, em que os recentes cônjuges confessam um ao outro o seu apetite de grandeza social: "Guiomar, que estava de pé, defronte dele, com as mãos presas nas suas, deixou-se cair lentamente sobre os joelhos do marido, e as duas ambições trocaram o ósculo fraternal. Ajustavam-se ambas, como se aquela luva tivesse sido feita para aquela

---

[16] *Idem*, p. 153.

[17] *Idem*, p. 157.

mão".[18] O mesmo vale para a imagem-título, *A mão e a luva*, em que não há também reticência. E, para terminar, vejamos a reação de Guiomar diante de Mrs. Oswald, a governanta inglesa da casa, que a fim de agradar à baronesa procura influir nas manobras nupciais da heroína. O que irrita Guiomar não é tanto a pressão, "era a pessoa que a fazia, — inferior e mercenária".[19] Numa passagem anterior, quando Guiomar não deixara ainda de ser "a simples herdeira da pobreza de seus pais"[20] — expressão que é também um exemplo, vinda como vem dos lábios da boa baronesa, uma santa senhora — ela considera que precisará trabalhar, para ganhar o seu pão. "Estas últimas palavras passaram-lhe pelos lábios como que à força. O rubor subiu-lhe às faces; dissera-se que a alma cobria o rosto de vergonha."[21] Assim, só por um triz Guiomar escapara de ser "inferior e mercenária" ela mesma; mais razão para ser distante: "Olhou fria e longamente para a inglesa, com um desses olhares, que são, por assim dizer, um gesto da alma indignada. O que a irritava não era a alusão que não valia muito, era a pessoa que a fazia, — inferior e mercenária. Mrs. Oswald percebeu isto mesmo; mordeu a ponta do lábio, mas transigiu com a moça".[22] Aliás, diga-se que de modo geral Mrs. Oswald é tratada com bastante xenofobia. — Percorrido este museu de horrores, o leitor versado notou quanto os nossos exemplos estão próximos de grandes momentos da segunda fase, em que podem ser reencontrados. O "ósculo de duas ambições" é precursor do

---

[18] *Idem*, p. 180.

[19] *Idem*, p. 135.

[20] *Idem*, p. 127.

[21] *Idem*, p. 130.

[22] *Idem*, p. 135.

casamento enquanto Cia. Ltda. de malfeitores, ilustrado pelo casal Palha no *Quincas Borba*. A estima de Luís Alves pela ambição social de Guiomar repete-se no entusiasmo que sente Brás Cubas por Nhã Loló, quando esta por assim dizer renega o pai, excessivamente popular.[23] O movimento geral do parágrafo que analisamos, em que as emendas vão piorando o soneto, é o mesmo do extraordinário elogio do cunhado Cotrim, uma das páginas mais arrasadoras de Machado de Assis.[24] Etc., etc.

Elevado à norma, o apego incondicional às realidades da vida as traz para o primeiro plano, e põe o romance em trilhos reais. Donde o paradoxo de um livro duramente pedestre ao mesmo tempo que idealizador: riqueza, proteção social e alta sociedade são inteiramente desejáveis e não têm contraindicação, salvo num breve momento de melindre, em que Guiomar prefere que não lhe lancem ao rosto os "benefícios recebidos".[25] O ascenso social é visto com olhos de quem está em cima, por alguém que vem de baixo: oferece talvez dificuldades, que cabe aos fortes contornar, mas não é revelador de injustiça nem é propriamente um problema. Já em seu próximo romance, que é bastante mais idealizado sob vários aspectos, Machado seria menos otimista e mais profundo neste ponto. A cooptação estará vista na perspectiva da suscetibilidade.

---

[23] *Memórias póstumas de Brás Cubas*, caps. CXXI e CXXII.
[24] *Idem*, cap. CXXIII.
[25] *A mão e a luva*, p. 171.

3. *Helena*

"[...] só as asas do favor me protegem..."

Comparável pelo assunto, *Helena* é um livro escrito em espírito inteiramente diverso. Também aqui Machado procura contribuir para o aperfeiçoamento do paternalismo. Mas o ponto de partida mudou, e a sua posição agora é defensiva. *Deixado a si mesmo, o jogo da cooptação e dos interesses burgueses dá resultados degradantes.* Esta a nova tese, segundo a qual é preciso discipliná-lo. Em lugar da anterior confiança — algo cínica — no apetite e no desembaraço dos fortes, está a vigilância do preceito cristão.

Para marcar a diferença, digamos que neste romance Guiomar alinharia entre as personagens negativas. A paisagem social é a mesma do outro: as boas famílias, a riqueza e a influência política opõem-se ao mundo errático e obscuro dos pobres. Mas só os menos bons (D. Ursula e Eugênia) ou os francamente maus (Dr. Camargo) aderem sem reserva aos bens temporais, e deixam-se guiar por eles, como fizera Guiomar. Nos termos do livro, cedem a "considerações de ordem inferior",[1] e falta-lhes a

---

[1] *Helena, OC*, vol. I, p. 189.

"elevação do sentimento".[2] Já os bons são exigentíssimos neste ponto, e a menor insinuação quanto aos seus motivos é suficiente para levá-los à renúncia. Como veremos, Helena prefere a morte a ser suspeitada, e Mendonça desiste de casar pela mesma razão. Isto não quer dizer que prerrogativas familiares, riqueza e influência sejam objeto de crítica. Na verdade, Machado procura legitimá-las, formulando um quadro em que não atentem contra a dignidade da pessoa. Mais precisamente, não são criticadas enquanto instituição, mas enquanto motivo. O mal não está na desigualdade, mas na gente que busca tirar partido dela. Diante do sentimento cristão, a riqueza e a pobreza, o nascimento ilustre e o anônimo, o regular e o irregular são secundários, o que paradoxalmente é razão — na linha do catolicismo apologético — para aceitá-los. O contrário seria imodéstia e faltar ao decoro. Assim, se é verdade que Helena passa de uma família pobre para outra rica, não era esta a sua finalidade, contrariamente a Guiomar. Obedecia ao pai. E quando luta para se fazer aceita, é para ser digna de seus novos parentes. Já o Dr. Camargo, que trama um casamento rico e ilustre para a sua filha Eugênia, é um vilão. Noutras palavras, cabe à severidade do amor familiar e cristão moralizar as diferenças sociais, e limpá-las da baixeza que porventura elas inspirem. Esta a ideologia do livro — em cuja insipidez não é preciso insistir. Isso posto, trata-se de uma ideologia que não é artificiosa, pois prolonga o catolicismo que de fato está infuso nas relações paternalistas, as quais sem ele não se entendem, dimensão que por cinismo *A mão e a luva* havia preferido não tratar. Insípida enquanto solução, a perspectiva cristã é decisiva enquanto presença, que vem completar o espaço do favor e reorganizá-lo em linhas mais verdadeiras, segundo uma eco-

---

[2] *Idem.*

nomia própria e menos utilitária. Sumariamente: a dignidade absoluta da pessoa e da família, superior às contingências da vida, compensaria em princípio a desigualdade nas relações reais, as quais desta sorte ficam legitimadas, e sobretudo livres do travo da humilhação. Já na prática, era natural que a mesma conexão se tomasse também noutro sentido, e que ao menor desgosto real os interessados se pudessem exaltar e considerar insultados no que é mais santo. Conforme as disposições do momento, a transcendência da pessoa vinha a ser uma razão de cordura ou de suscetibilidade. Assim, veremos que literariamente a ambiência católica faz ressaltar no paternalismo os aspectos que, segundo Machado, ela deveria coibir: a opressão, o desrespeito, a venalidade, a desconfiança, a permanente disposição à violência etc.[3] Do ponto de vista da secularização, o livro é um passo atrás — mas ao qual está ligada a exploração de um sistema de contradições reais e dominantes, que a postura mais materialista de *A mão e a luva* havia deixado na sombra.

Este é o movimento profundo de *Helena*. A intenção morigerada e civilizatória alterna com a turbulência das personagens,

---

[3] Leia-se a respeito o belo estudo de Maria Sylvia de Carvalho Franco, sobre a posição do homem livre e sem propriedade na ordem escravista, teleguiada pelo Capital. Maria Sylvia analisa a complementaridade prática entre o reconhecimento da pessoa, que é uma forma de igualdade, e as relações de dominação pessoal, em que se traduzem a desigualdade econômica e política. São relações em que a violência tem um lugar regular e sistemático. O livro trata do mundo rural e sobretudo do caipira, que não são a esfera de Machado de Assis. Entretanto, com alguns ajustes, o complexo das relações nestes campos tão diferentes é o mesmo — o que faz refletir sobre a unidade profunda do processo social, e, para o que nos interessa aqui, sobre o alcance clarificador do trabalho literário, cujo âmbito excede o do assunto. Cf. M. S. de Carvalho Franco, *Homens livres na ordem escravocrata*, São Paulo, IEB, 1969.

que inopinadamente abandonam tudo, faltam ao bom-senso e à obrigação, e chegam a ser abjetas — sempre temporariamente, sem que a cinta do decoro e da moral se rompa de uma vez. Analogamente, o clima entre os bons é de muita virtude, ainda que a todo momento se suspeitem as piores indignidades, o que não deixa de surpreender. Como se verá, um ritmo em que as relações de favor se manifestem de maneira complexa e interessante.

No início da narrativa encontramos a vontade do finado Conselheiro Vale, homem que pertencera às "primeiras classes da sociedade"[4] e cuja vida "estava longe de ser uma página de catecismo".[5] Em seu testamento o Conselheiro revela à família a existência de uma filha natural, e dispõe que ela seja recebida "como se de seu matrimônio fosse".[6] Linda, inteligente e malnascida, Helena vê-se na contingência de captar as afeições de uma família e de uma esfera desconhecidas, como antes dela Guiomar. Esta a situação romanesca fundamental, a que os outros conflitos virão se juntar.

As primeiras reações são três. Dona Ursula, irmã do Conselheiro, "era eminentemente severa a respeito de costumes".[7] O ato do irmão, que reconhecera a filha natural, lhe parece "uma usurpação e um péssimo exemplo".[8] Mas o que mais lhe repugna é receber "no seio da família e de seus castos afetos"[9] a uma criatura de cuja mãe nada constava. D. Ursula não imagina que

---

[4] *Helena*, p. 185.

[5] *Idem*, p. 189.

[6] *Idem*, p. 188.

[7] *Idem*, p. 189.

[8] *Idem, ibidem.*

[9] *Idem, ibidem.*

o irmão talvez reparasse "leviandades amargas", o que seria uma "atenuante".¹⁰ Ao ver dela, não só a lei como também o sentimento são condenáveis, quando violam o quadro da família regular. Na escala mesma do romance, trata-se de um rigorismo acanhado, mais preso à letra que ao espírito, desculpável dada a idade da boa senhora e dado que as razões de ordem material não estão em primeiro plano. Outra é a posição do Dr. Camargo, velho amigo da família, segundo o qual o Conselheiro errara por colocar o sentimento adiante da razão. Não era necessário reconhecer Helena, nem legar-lhe a metade dos bens, bastava uma lembrança no testamento. Tanto mais que o Dr. Camargo pensa casar a sua filha Eugênia com o Dr. Estácio, filho do Conselheiro. A consideração "objetiva" das vantagens materiais e das relações de força faz de Camargo o vilão do livro, e de certa forma um corpo estranho, imigrado de outro espaço literário.¹¹ Já o Dr. Estácio é quase perfeito, e só lhe falta mais um pouco de religião. "Levado por sentimentos de equidade ou impulsos da natureza", ele aceita a irmã "tal e qual, sem pesar nem reserva".¹² A sua noção de família não é esclerosada, contrariamente à da tia: "Quanto à camada social a que pertencia a mãe de Helena, não se preocupou muito com isso, certo de que saberiam levantar a filha até a classe a que ela ia subir".¹³ E contrariamente a Camargo, as razões pecuniárias não lhe pesam. Noutras palavras, o seu sentimento da família é *vivo*, e não se escraviza a considerações de classe social, de convenção moral e dinheiro, as quais traz

---

[10] *Idem, ibidem.*

[11] *Idem*, pp. 189-90.

[12] *Idem*, p. 189.

[13] *Idem, ibidem.*

para dentro de sua esfera de influência, onde elas perdem o caráter *estreito* (o que é diferente de injusto). A conveniência ideológica deste ideal esclarecido e conservador vê-se logo, e de fato Estácio muitas vezes parece sair de um manual de boas maneiras.[14] São virtudes que dão como secundária a compartimentação social, e como primário o sentimento, razão pela qual só corações da classe dominante as podem praticar com largueza. Se o coração porém fraqueja e regateia um pouco, insuficientemente temperado pela religião, as diferenças de nascimento e fortuna tornam ao primeiro plano, e a igualização das pessoas através do respeito aparece não como a regra, mas como um caso particular e idealizado no interior de uma situação de arbítrio e humilhação. *Uma dura viravolta, que é o nervo social do livro.* Veremos que sobretudo não lhe escapa o afetuoso Estácio, que faz todos os males imagináveis à sua nova irmã. Nas citações que demos, o leitor terá escutado a nota bem-pensante. Entretanto, ao situar as viravoltas mais nefastas do romance na conduta de uma personagem pura, socialmente modelar — no que obedecia talvez a uma inspiração cristã, e não crítica — Machado incluía em sua narrativa um elemento de pessimismo e tensão social, que não chega a ser dominante, mas ao qual está ligada a sua parcela realista.

No campo oposto, na posição dos obsequiados, era natural que a situação se mostrasse diferente. E como a ideologia de Helena é a mesma de Estácio, as diferenças desmentem a reciprocidade que o paternalismo promete. Neste sentido, são a sua refutação interna. Daí um certo clima de impotência, particular a este livro: duas pessoas tão boas, que não conseguem se respeitar.

A passagem de Helena pela família Vale transcorre entre duas revelações. Uma, no começo, de que é filha do Conselhei-

---

[14] *Idem*, cf. p. 191.

ro, e outra, no fim, de que não é. Com a segunda, que muda tudo, Machado paga tributo ao romance romântico, de intriga complicada. Retrospectivamente ficamos sabendo que Helena não era irmã de Estácio, e que o amava, ao passo que a paixão inconsciente de Estácio, que o leitor havia adivinhado, deixa de ser incestuosa. Para o que nos interessa aqui, os detalhes do enredo são dispensáveis. Basta saber que Helena não tinha culpa no quiproquó, e que foi tudo uma *fatalidade do destino*. Encostada a este esquema, que é mítico, desenvolvia-se entretanto uma análise racional e profunda do paternalismo. Uma vez que o Conselheiro a reconhecera, Helena vem para a sua nova casa e procura se fazer aceita. Os seus esforços nos darão a outra face da moeda.

"Helena tinha os predicados próprios a captar a confiança e a afeição da família."[15] Além das qualidades naturais, dispunha de "magnífica voz de contralto. [...] Era pianista distinta, sabia desenho, falava correntemente a língua francesa, um pouco a inglesa e a italiana. Entendia de costura e bordados e toda a sorte de trabalhos feminis. Conversava com graça e lia admiravelmente".[16] Conforme se vê, a lista das prendas é imponente, e é ditada pelo desejo de idealização social, que no caso coabita com a intenção analítica. A combinação é esdrúxula, sem prejuízo de o propósito ser patriótico, pois o Brasil precisava de modelos mais exigentes, tanto quanto de análises implacáveis. Contudo, do outro lado da relação, a família Vale e seus amigos cedem só com cautela e parcimônia. Quando D. Ursula pela primeira vez deixa escapar uma palavra de simpatia, sente-se mortificada, e se pudesse voltava atrás.[17] Noutra passagem, ela diz ao sobrinho que

---

[15] *Idem*, p. 196.
[16] *Idem*, p. 197.
[17] *Idem*, p. 203.

"Helena não é tola; quer prender-nos por todos os lados; até pela compaixão. Não te nego que começo a gostar dela; é dedicada, afetiva e inteligente; tem maneiras finas e algumas prendas de sociedade".[18] Em suma, assistimos a uma espécie de luta, e não de transação, em que Helena deve agradar e dar provas de mérito, até que os outros a reconheçam, luta a que ela se submete de bom grado e cristãmente. "Mediante os seus recursos, e muita paciência, arte e resignação — não humilde, mas digna — conseguia polir os ásperos, atrair os indiferentes e domar os hostis."[19] E mais adiante: "Longe de abater-se ou vituperar os sentimentos sociais, explicava-os e tratava de os torcer em seu favor — tarefa em que se esmerou superando os obstáculos na família; o resto viria de si mesmo".[20] O acento está no ânimo forte de Helena, que lhe permite enfrentar a reserva geral, e em seguida ganhar os corações, sem abdicar de sua dignidade nem queixar-se de injustiça. Uma linha estrita, para a qual o aceitável termina onde começam o servilismo, a queixa social e as questões de propriedade — por exemplo, Helena não quer a "proteção da lei",[21] isto é, do testamento do Conselheiro. Esta sua força é o cavalo de batalha do livro, no qual tem uma posição central, equivalente à do "cálculo sincero" em *A mão e a luva*. Dela depende que o ascenso social se faça sem degradação, nem da pessoa nem da ordem, como pura decorrência da estima em âmbito familiar. Depois de um tempo de provas, o afeto espontâneo vence a estranheza, e a reciprocidade do sentimento cobre as diferenças de fortuna, sem

---

[18] *Idem*, p. 210.

[19] *Idem*, p. 197.

[20] *Idem, ibidem*.

[21] *Idem*, p. 288.

deixar cicatriz: a nova situação estará consagrada pelo reconhecimento.[22] Entretanto, ocorre que o inaceitável parece ter a realidade a seu favor. Embora o romance afirme enfaticamente a boa norma, esta se apresenta desarmada, em posição de fragilidade extrema, — ao que se deve uma certa poesia, realista e desiludida, que inegavelmente lhe acompanha o moralismo. Veja-se neste sentido o episódio em que Estácio, apoiado em sua autoridade de irmão e chefe de família, procura forçar Helena à confissão de seus amores, para "ordenar o que fosse melhor".[23] Ela se revolta, e ele, que "possuía estas duas cousas, a retratação do erro e a generosidade do perdão" (se o "erro" é dele, por que seria dele também o "perdão"?),[24] reconhece ter cedido a um mau impulso. Helena: — "Obrigada! Se não me dissesse isso, ver-me-ia disparar por esse caminho fora até o fim do mundo ou até o fim da vida. [...] Oh, não é vão melindre, é a própria necessidade da minha posição. Você pode encará-la com olhos benignos; mas a verdade é que só as asas do favor me protegem [...]. Pois bem, seja sempre generoso, como foi agora; não procure violar o sacrário de minha alma".[25] A redistribuição dos acentos é completa, e a norma de respeito tida como indispensável passa a ser, em momentos de crise, questão de generosidade. Onde uns enxergam o benefício da proteção, outros veem o espectro da sujeição, e entram em pânico. Antes o limbo social, ou mesmo a morte, que escorregar na direção em que o paternalismo empurra, direção inaceitável a seus próprios olhos. Na terminologia elevada de

---

[22] *Idem*, p. 195.

[23] *Idem*, p. 223.

[24] *Idem, ibidem*.

[25] *Idem*, p. 224.

Helena e do livro, trata-se de preservar o sacrário da alma. Já na linguagem da situação, trata-se de escapar à submissão pessoal, mais ou menos completa, em cujo extremo nunca aludido (salvo nos eufemismos de Estácio sobre "essa escravidão moral que submete o homem aos outros homens")[26] estão a figura do agregado e o horror de ser tratado como escravo. Embora idealizadamente, a vivacidade dos melindres de Helena reflete o peso destas dimensões mais prosaicas, em que a assimetria das relações paternalistas não se disfarça. Vejam-se outros exemplos, antes de continuarmos a nossa análise. Salientada em várias passagens, a gratidão de Helena é sem limites e eterna.[27] Um sentimento que contradiz a ideologia da reciprocidade, mas corresponde à enormidade das diferenças sociais que ela deveria anular: "A família do Conselheiro ia afiançar-lhe futuro, respeito, prestígio".[28] Igualmente ilimitado é o desejo de Helena de não dever nada a ninguém, que aparece noutras passagens, complementares daquelas.[29] Por outro lado, note-se que uma dívida infinita é não só uma dívida grande, como é uma dívida por assim dizer fora do comércio, que não se paga nem se cobra, o que de certa forma restabelece a dignidade do devedor. Não obstante, a verdade da gratidão no caso é a humilhação. Ainda neste sentido, veja-se o episódio em que aparece um pobre que é orgulhoso.

O habitante de um casebre presta um serviço a Estácio, e em seguida recusa a ajuda que este oferece: "Fiz-lhe agora um obséquio, um simples dever de vizinho... Pareceria que o senhor me

---

[26] *Idem*, p. 206.

[27] *Idem*, pp. 206 e 288.

[28] *Idem*, pp. 195 e também 286.

[29] *Idem*, pp. 288-9 e 291.

pagava com um benefício. O benefício seria menos espontâneo de sua parte e menos agradável para mim. Agradável não exprime, talvez, toda a minha ideia; mas o senhor facilmente compreenderá o que quero dizer".[30] Assim, melhor que a gratidão, o horror à gratidão expressa o visco do paternalismo para o desfavorecido. No episódio que opunha Helena a Estácio, a resposta pronta da moça impedira a situação — que não parecia degradante em si mesma — de degenerar. Já agora, o vexame para o desamparado parece inseparável do quadro. Resumindo, o favor é a norma, o favor é insuportável, e fora do favor só existe miséria. Na palavra de outro mestre nestes meandros, viver é quase impossível...[31] Perto do final, completando a curva deste movimento, Helena é tomada por uma espécie de delírio purista, ou de aversão a tudo em que possa haver uma dívida ou a sombra de uma segunda intenção, o que a leva a afastar de si família, herança, noivo, generosidade ou complacência de corações amigos. "Prefere a miséria à vergonha",[32] ou, noutros termos, para realizar a norma de dignidade do paternalismo lhe parece que o melhor é correr dele. Resta ver para onde, questão de que Machado vai se ocupar no próximo romance, em que o trabalho assalariado estará no horizonte. Por ora, em *Helena*, a paz consigo mesma e com as pessoas queridas vem ligada à proximidade da morte, e antes dela à recusa de toda espécie de favor entre desiguais, de que é inseparável a inquietação. Em lugar dos benefícios materiais e sociais, em lugar de amor, simpatia e familiaridade, que o ascenso social lhe oferecia, Helena termina por

---

[30] *Idem*, p. 264.
[31] Guimarães Rosa, *Grande sertão: veredas*.
[32] *Helena*, p. 289.

ambicionar — em sua exaltação final — o sentimento genérico da "estima" e a posição distanciada de uma "estranha", a salvo de toda suspeita. Entre a intensidade do desejo e o caráter reduzido e inibitório de sua finalidade, a contradição é flagrante, e determina um clima particular, de muito interesse brasileiro. Para o obsequiado pobre, a independência pessoal é o mínimo imprescindível, ao mesmo tempo que o máximo inalcançável.[33]

Este o aspecto pessoal da dívida paternalista, ligado à conversão do favor em mando e obediência. Todavia existe ainda o

---

[33] Uma ressalva delicada: o leitor dirá com razão que estamos forçando a nota, e que a renúncia de Helena se prende ao equívoco do testamento, e não às humilhações do paternalismo. É a explicação que o romance dá, no plano da intriga. A revelação final de que Helena não é filha do Conselheiro, transforma a moça em usurpadora involuntária e envergonhada de uma herança, e a sua instabilidade passa a explicar-se pelo remorso, e não pela suscetibilidade. Em lugar das contradições do paternalismo, a simples desonestidade. Acontece que este deslocamento, ligado ao enredo rocambolesco, não só esvazia os problemas a que o livro vinha se aplicando, como sobretudo não concorda com o caráter rigoroso de Helena e com o teor analítico da narrativa. Representa propriamente uma concessão, que permitia a Machado subordinar o trabalho de observação e análise, que é considerável, a uma solução literária sem maior compromisso. Não é a única incoerência do livro, como ainda veremos. Entretanto, acredito que as humilhações do paternalismo sejam de fato o seu baixo-contínuo, responsáveis pela força e pelo interesse que o quiproquó do enredo contribui para esconder. Como o propósito deste estudo é de acompanhar a formação de um complexo temático e formal que seja tanto observado como coerente, expusemos a linha — forçosamente algo quebrada — que é mais reveladora neste sentido, a mesma aliás que Machado iria preferir e aprofundar em *Iaiá Garcia*, o seu romance seguinte. — Para a literatura brasileira este complexo é central, e merece um estudo à parte. Em estado puro, o movimento que vimos encontra-se em *Fogo morto*, de José Lins do Rego, acrescentado de monumentais desrecalques, imaginários e reais, em que a pessoa se espalha e desrespeita o próximo o quanto pode.

seu aspecto material, que é outra dimensão nevrálgica na ideologia de *Helena*. Embora rarefeito e apreciado diversamente, o seu substrato é o mesmo que encontramos em *A mão e a luva*: liga-se ao individualismo moderno, que a circulação do Capital produzia e o romance europeu divulgava, que não podíamos adotar nem desconhecer. Assim como a desigualdade nas relações paternalistas não devia se traduzir pela sujeição da pessoa, as vantagens sociais e econômicas existentes não deveriam levar à conduta egoísta e interessada, em que a consideração da riqueza e das posições aliena o sentimento natural, quer dizer familiar e cristão. São dois comportamentos tabu. Assim, Helena luta pela estima da família Vale, e não para passar de uma classe social a outra, e muito menos para ficar rica. Pela mesma espécie de razões, quando quer impedir o casamento da irmã, basta Estácio lembrar que o seu fraternal amigo Mendonça não tem dinheiro, e que poderiam suspeitá-lo de interesse. Mendonça recua imediatamente, levado pelo "pundonor".[34] Depois de uma noite de reflexão, explica-se: "Se casar, dirão que faço uma operação vantajosa; talvez a família o suponha; talvez ela própria [a noiva] o pense".[35] Helena, que compreende o perigo, responde à altura: "Oh, em último caso abro mão da herança".[36] A mesma coisa vale para ela, para quem o pior insulto de todos estaria na palavra "aventureira",[37] que ela própria lembra. Vimos que a palavra não se aplica, pois a moça não tem ambições materiais. Entretanto, como evitar que aos olhos da opinião o resultado eco-

---

[34] *Idem*, p. 256.

[35] *Idem*, pp. 256 e também 259.

[36] *Idem*, p. 259.

[37] *Idem*, p. 292.

nômico contamine o motivo? Questão sem resposta, e por isso capital. De um lado, os proprietários e a propriedade (que tem forma mercantil); do outro, os homens livres, sem propriedade e sem salário — o trabalho cabe aos escravos — que só através do favor dos primeiros participam da riqueza social. Aos segundos, que não têm nada de "objetivo" para dar, compreensivelmente o aspecto econômico da relação parece matéria delicada. Esta é a constelação real, a que a ideologia de *Helena* deve trazer decoro e solução. Em resposta, condenam-se as concepções liberais da propriedade e do interesse, pois não havendo mercadoria (força de trabalho) a trocar, elas excluem a necessária reciprocidade. Entretanto, na qualidade mesma de tabu, as ditas concepções são parte do problema, e desagregam à distância o paternalismo ideal que as proíbe (e destroem a dignidade, como vimos em *A mão e a luva*, ao paternalismo que as aceita). Voltando aos nossos exemplos, a virtude está na defensiva, e a dificuldade de provar a própria pureza é o elemento dinâmico do conflito. Se os proprietários inevitavelmente suspeitam os motivos dos desfavorecidos (D. Ursula comentando os sofrimentos de Helena: "— Mas que dor? que amargura? [...] A dor de ser legitimada? a amargura de uma herança?"),[38] estes suspeitam a suspeita, e se defendem pela recusa absoluta do comportamento interessado, que vem a ser o seu pesadelo. Daí os pobres que respeitam a propriedade mais que os ricos, e a filha natural escrupulosamente legitimista, que o leitor moderno não engole. — Enfim, a sujeição pessoal e o interesse econômico perseguem a virtude, a qual só com supremo esforço e ao preço da renúncia escapa — não ao inaceitável, mas à suspeita do inaceitável, que na ocorrência parece tão grave quanto o inaceitável ele próprio. Especulando

---

[38] *Idem*, p. 210.

um pouco, veja-se neste sentido a que ponto a virtude e o pavor à opinião alheia, bem como a submissão a ela, andam juntos e não separados: não estamos no chão do individualismo econômico e das garantias liberais, em que a opinião dos outros pode parecer secundária à autonomia moral, que se prova justamente na divergência. Entre nós, quem não se faz respeitar e aceitar será desrespeitado e esquecido ("Teme a obscuridade, Brás"),[39] e o respeito maior ou menor do semelhante-proprietário é parte real e eficaz do chão material da vida. O reconhecimento paternalista, de que são inseparáveis o momento de arbítrio pessoal e os elementos de aparência que o possam impressionar, conta diretamente na posição efetiva da pessoa, o que é diferente dos altos e baixos da reputação burguesa, e não tem nada a ver com as normas da aristocracia. Esta presença objetiva e regular do arbítrio subjetivo no processo social está transcrita nos conflitos que analisamos. E talvez se possa dizer que mais tarde, quando reduziria a vida social ao movimento caprichoso da vontade, Machado estilizava em veia também pessimista, mas agora cômica, esta mesma experiência.

Considerado o conjunto, digamos que *Helena* procura formular para o paternalismo uma via que tanto corrige a brutalidade da sujeição pessoal, quanto a baixeza do motivo econômico. São as nossas duas formas dominantes de alienação social, ressalvada a relação escrava, que é a principal, mas que o livro não corrige. Do ponto de vista de nossos homens livres, era uma ideologia completa: o sentimento cristão da família suprime os inconvenientes do paternalismo autoritário, bem como os efeitos degradantes do Capital, que não se tornam a razão de ser das pessoas. Estácio, por exemplo, tem casas de aluguel, mas gosta de cole-

---

[39] *Memórias póstumas de Brás Cubas*, cap. XXVIII.

cionar espingardas e de estudar matemática.[40] Mais de perto, a crítica da estreiteza e da humilhação na relação paternalista representa, como em *A mão e a luva*, o interesse dos pobres mais dotados e bem situados, candidatos à cooptação. E representa um tributo distante ao individualismo burguês, adaptado às condições locais: não vai ao ponto de afirmar direitos, mas considera que a sujeição é degradante. Se as suas regras de respeito fossem observadas, criariam entre as pessoas uma distância propriamente britânica, o que não deixava de ser um modo de acompanhar os tempos. E quando o desrespeito atinge um inferior educado e sensível, nascido "abaixo do seu merecimento", não fere um direito, mas fere o nosso sentimento da modernidade e de autoestima, que são quase a mesma coisa. Por sua vez, a riqueza e o mérito modernos ganham muito em legitimidade humana, ou melhor, purificam-se de seu caráter excludente, quando subordinados ao reconhecimento de favor. — Do ponto de vista da coerência, é uma ideologia impecável, o que lhe dá certo interesse. Já do ponto de vista da apreciação das tendências reais, não podia ser mais contra a natureza: pede ao poder que não mande, à riqueza mercantil que não seja interessada, e sobretudo aos motivos econômicos que não influam nos outros. A parte da tolice é patente, e faz que o livro tenha algo de vaziamente retórico. Ainda assim, vimos em nossos exemplos que Machado privilegia nesta sua ideologia o momento de impasse, o que em certa medida a recupera em perspectiva realista (enquanto ilusão) e confere firmeza e interesse ao seu movimento. E note-se principalmente que o impasse fixa e clarifica as alternativas do inferior, obrigado a encarar o inaceitável, e possivelmente a identificá-lo, enquanto que o superior resolve as suas contradições ideológicas passando por

---

[40] *Helena*, pp. 211-2.

cima delas.[41] De fato, o paternalismo não autoritário e a riqueza mercantil desinteressada são, além de contradições em si mesmas, ideias que termo a termo atendem à situação de classe dos homens dependentes — oprimidos e desprovidos — e neste sentido restrito são destilações e negações de tais impasses. A separação, para fins de subtração, do elemento opressivo e interessado, conservando-se o quadro paternalista geral expressa-lhes também a falta de saída histórica. Enquanto ideologia, o ponto de vista é de baixo, e a vantagem é dos de cima. Consolam-se os dependentes pobres, afirmando o que as coisas deveriam ser e vendo reconhecida a sua afirmação, a qual produz uma imagem não antagônica da relação, aceitável e consoladora também para os de cima, que não vão se prender a ela, e através da qual as duas partes podem comunicar. O preço desta conciliação, em que imaginariamente as relações sociais se desalienam, é naturalmente a irrealidade. Se ocorre uma personagem transformá-la em norma efetiva, veremos que representa uma alienação maior que as alienações que deveria suprimir. Nas circunstâncias, a recusa por

---

[41] "Da reconstituição da categoria social dos homens livres e sem posses concluiu-se que nos ajustamentos entre grupos dominantes e dominados se entrelaçam as duas 'faces' constitutivas da sociedade: de um lado, a área que tendia a ordenar-se conforme ligações de interesses, de outro, os setores articulados por via de associações morais. A presença destes princípios opostos de organização das relações sociais permitiu que fosse levada ao extremo a assimetria do poder, nada limitando a arbitrariedade do mais forte e reforçando a submissão do mais fraco. [...] Sempre que colocado em situação crucial para os seus negócios, o proprietário de terras deu prioridade a estes, embora com isso lesasse os seus moradores e assim interrompesse a cadeia de compromissos sobre a qual assentara, em larga medida, o seu poder. Diante da necessidade de expandir o seu empreendimento, nunca hesitou em expulsá-los de suas terras." M. S. de Carvalho Franco, *op. cit.*, pp. 102-3.

moralidade das relações de força e de interesse leva direto à desgraça. Afastando-se da realidade, é a virtude que deixa de ser humanamente interessante. Os sinais desta inversão mostram-se a todo momento, e ela torna instáveis os fundamentos do livro: medido pelo metro purista, o comportamento cotidiano do brasileiro seria um horror. Não era o que Machado, alternativamente ideólogo e observador, queria dizer, ou era só em parte. Assim, o Dr. Camargo ora é um tenebroso vilão, ora um bom e fiel amigo da família Vale, ora um homem duro e egoísta, ora um cidadão polido, a que faltava "a moeda de ouro dos grandes afetos";[42] Dona Ursula detesta filhos naturais, numa sociedade em que eles não faltavam, mas é uma santa senhora; o finado Conselheiro é hipócrita em política, devasso em matéria de costumes, mau marido, um homem bom e respeitável, uma nobre alma; as próprias manobras para fins de inclusão em testamento, inadmissíveis quando se trata de Helena e Estácio, são dadas como normais no caso de outras famílias etc. Mesma coisa no campo da virtude: quando a sociedade é idealizada, Helena sobressai um pouco, mas sobretudo está conforme com a boa norma; noutros momentos, para conservar o simples decoro ela vai ao martírio. A vacilação é semelhante quanto a Estácio, que prefere ao bulício da política, do trabalho ou da vida mundana uma vida retirada e estritamente familiar. Trata-se de moralidade, pois as eleições são uma fraude, o trabalho uma farsa e a vida social uma ilusão, ou trata-se de uma simples preferência, sem outra superioridade? Uma virtude, assentada em conhecimento e reflexão, ou um modo de vida apartado, de proprietário um pouco misantropo? O metro da pureza tem esta vantagem, de elevar a pessoa acima das circunstâncias, sem criticá-las propriamente, embora as rebaixe um tanto.

---

[42] *Helena*, p. 236.

Daí uma sensação permanente no livro, de que a virtude está sempre em fuga, indo para casa. Também do ponto de vista dramático, a depuração das alternativas com vista na moral — a exigência de um paternalismo "puro" — perde o contato com a dimensão real das questões, as quais vêm esboçadas em pano de fundo. A julgar por este, vê-se um país em que a família não chegou a ser a regra, em que o trabalho do homem livre é ridículo ("medita alguma ponte pênsil entre a Corte e Niterói, uma estrada até Mato Grosso ou uma linha de navegação para a China?"),[43] em que as eleições se resolvem em conversa entre as influências locais, desde que haja o acordo da Corte,[44] em que as heranças são acontecimentos capitais, em que os escravos estão misturados à vida familiar, em que o casamento é das boas ocasiões de fazer fortuna e ascender socialmente, em que o desprotegido tem o território nacional inteiro para cair morto (veja-se as andanças do pobre Salvador, o pai secreto de Helena). Para a espiritualidade cristã, a que se filia a exigência moral de Helena e Estácio, são instâncias justamente da baixeza acima da qual é preciso se elevar. Uma posição que não é conformista, pois se afasta, nem é crítica, pois não se interessa pelo movimento das contradições reais nem interfere. Do ponto de vista formal, da disposição das matérias, era natural que os conflitos de interesse viessem à margem, e o conflito moral no centro. Entretanto, em relação àqueles, que relevância têm os sentimentos elevados de Helena e Estácio? Entre os seus conflitos e os outros há certa continuidade, ligada à ubiquidade do favor, mas a formulação sublimada e moralista impede a ressonância poética. Assim, a despeito das exigências radicais, a contradição central de *Helena* é antes

---

[43] *Idem*, p. 211.

[44] *Idem*, p. 241.

contingente e periférica, ao passo que o plano real e necessário está espalhado pelas franjas do romance — à espera de um romancista mais maduro.⁴⁵ — Recapitulando, a dignidade da pessoa plana acima das desigualdades da fortuna. Ela se prova no desprendimento com que o proprietário *dá* e com que o pobre *renuncia*. Para este, a relação desigual é suportável só se estiver reconhecido o seu desinteresse material, que assegura a sua igualdade noutro plano. Daí a suscetibilidade quanto aos motivos. Se o seu desapego for questionado, resta-lhe provar a sua indepen-

---

⁴⁵ O leitor lembre a análise que fizemos de *Senhora*, em que também o conflito central diferia dos periféricos; em que também as personagens eram vistas segundo perspectivas diferentes, entre as quais o Autor não se havia decidido. A comparação é interessante para assinalar o caminho percorrido por Machado. Em *Senhora*, a diferença entre as perspectivas era de natureza, e os conflitos do par central nada tinham a ver com os demais. Uma fratura formal em que se expressava a subordinação cultural do país. Em *Helena* a matéria romanesca está relativamente unificada, e a pouca ressonância poética do conflito central deve-se "apenas" ao moralismo em sua formulação. Neste sentido vejam-se as suas páginas iniciais. Os primeiros parágrafos são admiráveis e com mais desenvoltura poderiam pertencer à segunda fase de Machado. O Conselheiro Vale morre pouco depois da janta e de cochilar a sesta. Seus amigos são o Desembargador, o padre, o médico, uma companhia de figurões reunidos pelo hábito, pelo voltarete, pela vizinhança. Tudo que é oficial, como títulos, profissões, ciência, religião, serviço público, partidos políticos, famílias paulistas e enterro, é relativizado pelo balanço mais suave e não santificado da roda familiar, de sua comodidade, seus apetites, vaidades e costumes, que por sua vez beneficiam um pouco da solenidade que tiraram à outra esfera. Em seguida, porém, como um chuveiro frio, as considerações de moral estrita: o Conselheiro errou? uma filha ilegítima tem direitos? e a honra da família? Erguendo-se a este discurso mais nobre, Machado na verdade adotava uma visão mais simples, mais ornamental e ideológica, e descia abaixo da complexidade e maturidade de seu discurso de cronista. Um desnível de entrada, portanto determinante, que se irá repetindo aqui e ali.

dência, e mesmo superioridade, renunciando de vez, enquanto que disputar a riqueza seria uma diminuição da pessoa. São reparações simbólicas hoje difíceis de aplaudir. Estamos nos antípodas do comportamento econômico moderno, que neste quadro apareceria como o cúmulo da indignidade — embora a riqueza social já estivesse em forma mercantil. A herança de Helena por exemplo consiste em duzentas e tantas apólices, o que na opinião de uma personagem secundária "merece um cumprimento de chapéu".[46] — O leitor recorda que *A mão e a luva* reivindicava o paternalismo ilustrado (algo como um eco local do novo espírito utilitário europeu), contra a estilização romântica dos impasses da vida moderna. Uma solução que repousava na harmonia "progressista" entre os pobres com talento, que mereciam subir, e as elites que saberiam reconhecê-los, ansiosas que estavam para melhorar a nossa sociedade, moral e materialmente. Esta mesma aliança continua desejável em *Helena*, que no entanto privilegia o estudo de seus possíveis conflitos. Onde *A mão e a luva* afirmava a diferença de nossa sociedade, e a livrava do pessimismo da literatura romântica — daí a conclusão especiosa e "positiva", de que entre nós riqueza, apetite e inteligência trabalhavam para o bem geral — *Helena* demora-se em seu interior, e chega a um pessimismo ajustado às condições locais: só através do mais estrito e inverossímil rigorismo cristão o paternalismo capitalista deixaria de ser degradante. Nem subordinadas ao sentimento familiar as concepções liberais do interesse e da propriedade são admissíveis.

Completando enfim esta análise, vejamos o aspecto mais audacioso do livro, que está nos cuidados opressivos de Estácio

---

[46] *Helena*, p. 240.

com sua irmã. Neles conjugam-se autoridade e desejo inconsciente sob o signo da ascendência paternal. Em lugar da versão notória do arbítrio, ligada simplesmente à desconsideração e ao direito do mais forte, veremos o arbítrio que se desconhece e que se exerce no interior mesmo da virtude e do respeito mais convictos. Entre a esfera em que os desejos por assim dizer trabalham por conta própria, e a esfera acatada da autoridade e da lei, as transações possíveis são sempre muitas, o que é mais palpável em regime de paternalismo, mas é verdade em toda parte. Com a figura de Estácio, Machado entrava em águas modernas. — Inseparável das relações paternalistas, o arbítrio pessoal é um de seus toques distintivos. A sua presença pode se apreciar de maneira diversa. Em *A mão e a luva* ele permitia escapar aos rigores do tradicionalismo, bem como ao antagonismo de classe. Em *Iaiá Garcia* será visto com horror, como ocasião permanente de abuso. Em *Helena* estamos a meio caminho, e ele deve purificar-se pela disciplina cristã e familiar. Neste sentido, a heroína é a personagem exemplar e desinteressante do livro. Helena sabe que Estácio não é seu irmão; que inconscientemente ele a ama; e que ela, por sua vez, o ama "muito, muito, muito".[47] Entretanto, o sentimento cristão lhe ensina que mais vale o sacrifício que o escândalo de mais uma revelação de paternidade. Assim, a bem do decoro, Helena insiste no casamento de Estácio com Eugênia, e trata de casar-se ela própria com Mendonça. "Senhora do segredo de seu nascimento, e consciente de amar sem crime, a moça apressara, não obstante, o casamento de Estácio e escolhera para si um noivo estimado apenas."[48] Outra é a conduta de Estácio,

---

[47] *Idem*, p. 221.

[48] *Idem*, pp. 289-90.

que é perfeitamente educado e bom, mas só superficialmente cristão. Falta-lhe a firmeza da irmã, que não vacila entre o decoro familiar e as considerações pessoais. O pobre rapaz, levado pelo que lhe parece a elevação e a magia do sentimento, vai direito ao pecado do incesto. Como explica o Padre Melchior, "a tentação usa essa tática serpentina e dolosa".[49] Tomando um desvio muito seu, Machado calçava os sapatos da religião e buscava apoio no conflito mais acanastrado do repertório romanesco, para arriscar-se em território novo: os movimentos inconscientes do desejo. Vejam-se alguns exemplos. "Teu coração é um grande inconsciente; agita-se, murmura, rebela-se, vaga à feição de um instinto mal expresso ou mal compreendido. O mal persegue-te, tenta-te, envolve-te em seus liames dourados e ocultos; tu não o sentes, não o vês. Terás horror de ti mesmo, quando deres com ele de rosto. Deus que te lê, sabe perfeitamente que entre teu coração e tua consciência há como um véu espesso que os separa, que impede esse acordo gerador de delito".[50] Assim, Machado recua da psicologia e adota os termos cristãos da luta entre o Bem e o Mal, que entretanto lhe permitem seguir o processo psíquico de mais perto, e sobretudo sem os preconceitos da psicologia racional. Daí a vida subterrânea e independente dos desejos, a pessoa dividida e horrorizada consigo mesma. Noutro momento, depois de recusar o consentimento à irmã, que quer casar, e depois de envenenar o espírito ao pretendente e amigo Mendonça, tudo com a cobertura sincera das melhores intenções, Estácio sente que alguma coisa estranha está se passando. "Saiu aturdido, desconsolado, colérico. Na rua e na chácara, ia pensando na

---

[49] *Idem*, p. 271.

[50] *Idem, ibidem*.

cena daquela última hora, e parecia apenas reconstruir um sonho. Desconhecia-se, apalpava a inteligência, chamava em seu auxílio todas as forças da realidade."[51] O leitor pare um instante, e considere mais atentamente estas expressões. Se dará conta da extraordinária intimidade com a vida psíquica, da curiosidade e da disposição de observar a frio a que Machado se entregava, sob o manto cristão. Muito veladamente e em contexto insólito, trata-se de uma réplica do apetite de realidade e de saber, da imparcialidade científica e do interesse escabroso da literatura realista do século XIX.[52] Visto o episódio no seu conjunto, Estácio deriva como um sonâmbulo — a expressão também está nestas páginas[53] — entre raciocínios e decisões, conduzido pelo seu sentimento recalcado. Explicando a sua oposição ao casamento da irmã, o rapaz vai aventurando as objeções, sucessivas e desconexas. Helena não ama Mendonça, Mendonça é inferior a Helena, vão suspeitar Mendonça de ter motivos baixos, Helena pode conhecer outro rapaz superior ao Mendonça, e, último argumento, seria excessivamente triste Helena abandonar a família em que são tão felizes.[54] Logo adiante, desfeitas estas razões, Estácio é obrigado a consentir. Para comprometê-lo de vez, Helena lhe pede que leve ao Mendonça um bilhete dela, confirman-

---

[51] *Idem*, p. 257.

[52] Numa crônica um pouco posterior — que encontrei quando este estudo já estava pronto — Machado comenta o caso de um negociante que falsificara letras sem necessidade e tendo muito crédito na praça: "Sendo assim, e não há razão para contestá-lo, o ato praticado é um destes fenômenos naturais inexplicáveis, que um filósofo moderno explica pela inconsciência, e que a Igreja explica pela tentação do mal". "Histórias de 15 dias", 15/4/1877, *OC*, vol. III, p. 398.

[53] *Idem*, p. 256.

[54] *Idem*, pp. 254, 256 e 259.

do o noivado. Estácio quer deixar para amanhã. O Pe. Melchior insiste para que seja hoje. "A noite caiu logo: Estácio foi dali vestir-se. Não tendo enviado o bilhete de Helena, meteu-o na algibeira para entregá-lo ele próprio; depois tirou-o e releu-o; tendo o relido, fez um gesto para rasgá-lo, conteve-se e perpassou-o ainda uma vez pelos olhos. A mão, à semelhança de mariposa indiscreta, parecia atraída pela luz; resistiu, resistiu algum tempo; enfim chegou o bilhete à vela e queimou-o."[55] Assim como as objeções de Estácio não se encadeiam entre si, mas são teleguiadas por uma finalidade inconfessada — hoje se diria que são racionalizações — as suas decisões conscientes — aceitar o casamento, levar o bilhete, não rasgá-lo, não queimá-lo — são passos na realização de um desejo contrário. Para apreciar a ousadia da passagem, note-se que no contexto ela não transforma Estácio numa figura ignóbil. Já vimos a justificação "teológica": onde não há consciência, não há delito.[56] Do ponto de vista literário porém, as conclusões interessantes são outras: os motivos conscientes podem estar comandados por outros inadmissíveis, e a convicção da virtude não impede de praticar horrores — uma conclusão que mais tarde Machado iria explorar com grande liberdade, em chave satírica. Trata-se enfim de assuntos difíceis e novos, em que o escritor se aventurava com prudência, e que constituem em si mesmos um mérito. Mas retomando o fio de nossa exposição, vejamos sobretudo que a reflexão psicológica de Machado (a cobertura cristã desapareceria nos romances seguintes) já aqui torna mais complexa a representação do paternalismo. Onde falávamos do arbítrio como da vontade despótica do mais

---

[55] *Idem*, p. 258.
[56] *Idem*, p. 271.

forte, temos agora uma análise da própria vontade, que na falta da firmeza cristã revela ser um emaranhado de servidões. Ora, se o próprio do paternalismo é a falta de fronteira clara, no polo forte da relação, entre a autoridade social e a vontade pessoal, e se esta última é um conjunto mais ou menos contraditório de desejos inadmissíveis, de cegueira e de justificações infundadas, a situação do inferior ganha outra dimensão. A integração social deste se faz pela subordinação direta às servidões e confusões afetivas — que fazem autoridade e seria ingratidão não respeitar — da parte superior. O leitor estará reconhecendo, espero, o barro escuso de que se faz a obra machadiana da maturidade. Alguma coisa no gênero talvez do que é hoje a situação da empregada doméstica. Mas vejamos exemplos. Usando linguagem bíblica, uma voz interior fala a Estácio: "Sonâmbulo, abre os olhos, tem consciência de tuas ações; teu abraço enforca; teus escrúpulos te fazem odioso; tua solicitude é pior que o cólera".[57] Noutras palavras, os cuidados paternais de Estácio escondem sentimentos os mais pecaminosos, de que ele não pode saber, pois são inconscientes. Depois de acumular as intervenções nefastas, o próprio Estácio pressente que não agiu bem. "Meu zelo foi talvez excessivo; a intenção é boa e pura. Que posso eu desejar senão ver felizes os meus?"[58] A pergunta assinala a inconsciência da personagem, que interessava a Machado sublinhar, mas no contexto expressa também a ideologia paternalista, segundo a qual o chefe de família não pode ter outro interesse que a felicidade dos "seus". E como não há autoridade acima dele — salvo a religião — a sua convicção tem força de lei. A própria Helena de resto a respeita, e só procura fugir ao que lhe parece inadmissível. Ain-

---

[57] *Idem*, p. 256.

[58] *Idem*, p. 257.

da neste sentido veja-se a sequência inquieta e caótica das decisões de Estácio, sempre investidas da autoridade e do decoro devidos, que afetam a um círculo relativamente amplo de pessoas, mas visam apenas a aplacar a sua própria aflição. Ou lembre-se finalmente a autoridade de inquisidor com que Estácio, morto de ciúme, se lança aos segredos de Helena, a fim de defender a honra da família. Sem cinismo e sem hipocrisia, pela simples natureza das coisas, a lei e os desejos formulados e informulados se confundem numa corrente turva, infeliz e violenta.
— Se olhamos para trás, Estácio é a retomada de Félix, a figura principal de *Ressurreição*. Uma personagem indecisa, assaltada de ciúmes cíclicos, que por infelicidade de caráter — na expressão de Machado, o propósito deste primeiro romance é "o esboço de uma situação e o contraste de dous caracteres"[59] — não chega a se convencer de seu destino social desejável, que seria de formar família. Trata-se de uma constelação em que a dinâmica psíquica e a dinâmica social são de natureza e têm finalidade diversas. Não se explicam uma pela outra, nem vivem separadas. Esta a originalidade de *Ressurreição*, a sua promessa de complexidade, assinalada pelos críticos,[60] mas também o seu caráter descosido, pois como a esfera social não chega a formar contradições, embora esteja descrita até com abundância, a introdução de mais um plano complica o livro, mas não o organiza. Em *A mão e a luva* as personagens aderem imediatamente às finalidades sociais, que são autoevidentes, e a complexidade anterior desapareceu; em compensação aparecem as complexidades da contradição e da conciliação social, e em torno delas o esboço de uma organi-

---

[59] *Ressurreição*, *OC*, vol. I, p. 32.

[60] Barreto Filho, *Introdução a Machado de Assis*, Rio de Janeiro, Agir, 1947, e Lúcia Miguel-Pereira, *Prosa de ficção*, Rio de Janeiro, José Olympio, 1973.

zação romanesca. *Helena* enfim é a síntese dos dois: Estácio tem o ritmo de suas dificuldades psíquicas, as quais vêm dar uma pontuação particular ao ritmo da contradição social, e a elaboram de modo também particular. Como vimos e veremos, a confluência dos motivos inconscientes e das finalidades sociais forma um metabolismo cheio de aspectos surpreendentes, ao qual se liga boa parte da literatura moderna. Se pensarmos no que viria em seguida, Estácio é uma tentativa ainda modesta nessa direção. Sobretudo trata-se do problema de uma só personagem, e de um capítulo muito curioso, mas um pouco à parte. A generalização desta complexidade "clandestina" para todas as personagens, e a sua transformação em vida normal será uma das façanhas e um dos princípios formais dos romances da segunda fase.

Isso posto, *Helena* é um romance de concepção mais descosida do que a nossa análise faz supor, e do que o enredo bem amarrado deixa ver à primeira leitura. Com maestria consumada e posição indefinida Machado circulava entre a intriga ultrarromântica, a análise social, a psicologia profunda, a edificação cristã e a repetição da mais triste fraseologia (p. ex. Helena levanta os olhos ao céu, para agradecer a intervenção favorável do moleque Vicente, e em seguida se explica: "Orei a Deus [...] porque infundiu aí no corpo vil do escravo tão nobre espírito de dedicação").[61] A impressão é de alguém que se exercita em várias línguas. É como se o escritor acumulasse recursos, que nesta altura já são excepcionais, mas para dar provas de competência em toda a linha e para se fazer aceito, mais que para ir até o fim dos problemas que propõe. As ousadias que assinalamos são instrutivas neste sentido, pois têm sempre alguma cobertura osten-

---

[61] *Helena*, p. 276.

sivamente conforme, e não têm jamais a última palavra. Em nossa exposição, procuramos salientar a posição quase determinante da matéria paternalista, assim como as contradições ligadas à acepção cristã e bem-pensante em que ela está. Todavia, a análise desenvolvida e fina das relações de favor — que de fato existe — é somente um plano entre outros, todos igualmente cuidados, aos quais ela ainda não integra propriamente, como fará mais tarde, quando o universo romanesco de Machado estiver unificado. Como os demais livros da primeira fase, *Helena* é um trabalho de passagem. Assim, são várias as características do romance que não têm razão de ser em seu próprio plano, mas que devem ser mencionadas, pois a sua presença é grande. A principal é a diversidade estilística muito marcada. A prosa realista e maliciosa dos parágrafos iniciais, próxima da prosa da maturidade, supõe uma visão desabusada e humorística da sociedade brasileira. Logo em seguida vem a prosa enfática e convencional dos perfis morais, que poderia estar num breviário de boas maneiras, e cujos pressupostos são inteiramente outros.[62] Nas passagens mais romanescas e visionárias, ligadas ao coração tumultuado de Helena, a linguagem é exaltada, como num poema romântico.[63] Quando se trata do Dr. Camargo, um ambicioso capaz de tudo, entramos para o realismo e a denúncia social.[64] Já sua filha Eugênia é uma gracinha arrufada à maneira de Alencar, e nos dá uma página de romance rosa.[65] Se o assunto é o pecado, ou se está presente o Pe. Melchior, a linguagem pode tomar acento bíblico ("a

---

[62] *Idem*, pp. 189-91.

[63] *Idem*, cap. XXVIII.

[64] *Idem*, pp. 231, 235-6.

[65] *Idem*, p. 200.

suspeita é a tênia do espírito").⁶⁶ Noutras passagens a prosa é concisa e presa ao essencial da ação, à maneira da narrativa setecentista (a velocidade muito "lógica" sobretudo da precipitação final talvez lembre o andamento das *Afinidades eletivas*), e aspira à brevidade estilizada própria ao verso narrativo, uma estranha combinação de nobreza e durabilidade formais com a contingência prosaica de um assunto de romance oitocentista. Etc. O que pensar desta diversidade? Primeiramente é uma demonstração de força e recursos literários, cujo melhor comentário entretanto está na confusão que estabelece. A precariedade geral da concepção salta aos olhos, e com ela o ecletismo, da mesma ordem que noutro plano permitia a Helena brilhar pelo escrúpulo em perspectivas contraditórias, como a moral do contrato (o testamento), a lealdade pessoal, a obediência filial e o sentimento cristão. Helena não quer herdar, para não prejudicar direitos de terceiro, mas aceita herdar, para não desrespeitar as disposições de seu pai adotivo, e também por obediência ao seu pai verdadeiro, que quer para ela as vantagens materiais da vida, com as quais no entanto ela se conforma só por moderação cristã, e às quais por elevação também cristã ela não se apega.⁶⁷ Por outro lado, levada mais longe e tratada em veia humorística, algo como um desnível de frase a frase, esta mesma diversidade ideológica e retórica será um ingrediente essencial da prosa machadiana ulterior, em que a frequentação alexandrina e mercurial de todos os estilos acaba sendo o nosso único estilo autêntico, um achado literário em que a salada intelectual do país encontra o seu registro imortal.⁶⁸ A coe-

---

⁶⁶ *Idem*, pp. 256, 261 e também 271.

⁶⁷ Ver as explicações do pai de Helena, p. 286.

⁶⁸ Sobre a "carnavalização" do elemento retórico na prosa machadiana, ver

xistência indiscriminada de maneiras, todas igualmente prezadas, desde que tratadas competentemente, é uma fatalidade de culturas dependentes como a nossa, a que falta o critério interno, e a que interessa estar a par. Tome-se neste sentido o belo estudo de Décio de A. Prado sobre João Caetano.[69] No repertório do ator encontram-se peças neoclássicas, românticas e melodramas, e só não se encontra a maneira realista porque João Caetano a certa altura está velho para mudar. Este desejo de acompanhar os tempos e passar por cima do que na Europa os separa existe também em *Helena*, cujo impulso de assimilação estilística é da mesma espécie. É certo também que as quatro maneiras mencionadas estão entre os seus registros fundamentais. Assim, a reputada imparcialidade crítica de Machado, que em todas as escolas queria colher a melhor parte, aparece em outra luz. Tratava-se do ecletismo a que estávamos condenados, que Machado praticava com apetite e destreza excepcionais, e que só mais tarde deixaria de ser um defeito literário, quando recuperado em chave de derrisão. Quanto à composição, podem-se fazer observações análogas. A moldura do romance, em cujo miolo estão o paternalismo e o incesto, é formada pelos três beijos que a frívola Eugênia recebe de seu funesto pai, a quem só a ambição inspira ternura. O primeiro, quando a morte do Conselheiro transformava Estácio num homem rico. O segundo, quando este pede Eugênia em casamento, empurrado por Helena, sobre a qual Camargo exercia chantagem. E o terceiro, quando a morte de Helena elimina o último obstáculo. Pelo estilo e pelas motiva-

---

J. G. Merquior, "Gênero e estilo das *Memórias póstumas de Brás Cubas*", *in Colóquio/Letras*, nº 8, Lisboa, julho de 1972.

[69] Décio de Almeida Prado, *João Caetano*, São Paulo, Perspectiva, 1972.

ções, a moldura pertence ao realismo europeu, que na figura do Dr. Camargo irá ter a última palavra, por oposição às virtudes do paternalismo cristão, encarnadas em Helena. Há certamente um vago propósito nesta composição de sugerir as etapas de uma fatalidade histórica, segundo a qual entrávamos para o tempo do materialismo. Entretanto, como vimos, antes de sofrer chantagem Helena já empurrava Estácio para casar com Eugênia, ao passo que o Dr. Camargo noutros momentos aparece como um homem regular e amigo de confiança. Por outro lado Estácio é muito mais rico que ele, e vive efetivamente de aluguéis, sem contar que a origem de todos os dramas está na vida imoral do falecido Conselheiro. Assim a sugestão de decadência dos costumes e com ela a moldura do livro não resistem à sua própria matéria. Não vínhamos de um mundo cristão em que o dinheiro não contava; nem o Brasil puramente burguês estava à porta. A contradição existia, mas não era esta a organização que lhe convinha. Para terminar, vejamos enfim a intriga do romance, turbulenta e melodramática, montada sobre revelações de paternidade, contraditórias entre si, irregularidades no nascimento, risco de incesto, chantagem, visitas clandestinas a um casebre misterioso, suspeitas e crises terríveis, uma jovem delirando de febre na tempestade, e a final confissão de amor, colhida em olhos moribundos. Do ponto de vista da coerência literária, a impropriedade é completa. A segunda revelação de paternidade tira o fundamento ao conflito do início, ligado ao reconhecimento de uma filha natural que era interessante e bem desenvolvido. Enquanto que a situação de incesto relega ao excepcional os aspectos irracionais da relação paternalista, que são o melhor achado do livro. Assim, a intriga ultrarromântica organiza fortemente a narrativa, numa direção que não dá continuidade à sua matéria. *Ressurreição* e *A mão e a luva* eram livros quase sem enredo, e também *Iaiá Garcia* é bastante informe. Eram deficiências que para a evolução de Machado seriam virtudes, pois deixavam em suspenso a questão da forma apropriada ao seu material, que só com o *Brás Cubas* acharia solução. Por este lado, *Helena* era uma saída em falso, e aliás a aplicação de uma forma encontrada já pronta. — Admitidos estes aspectos, que são os essenciais, resta reconhecer ao enredo de *Helena* uma poesia inesperada e brasileira, nascida talvez na conjunção da forma romântica e do conflito paternalista. Desde os primeiros encontros, o vínculo entre Helena e Estácio está formado, inconsciente da parte do rapaz, dado o tabu, e consciente mas impossível da parte da moça. Daí por diante todos os episódios do romance banham nesta atração, que forma algo como uma correnteza nunca inteiramente represada. Assim, a ideologia decente e familiar, amiga de sacrifícios e estrangeira a todo romantismo, corre paralela a uma nostalgia subterrânea de satisfação individual completa, para além de quaisquer limitações, isto sem que os absolutos do romantismo sejam evocados explicitamente. Embora não seja desmentido nem posto em questão, o decoro paternalista nesta companhia adquire uma componente sensível de renúncia. À ideia cristãmente positiva do sacrifício se acrescentam conotações negativas, de sufocamento e frustração da pessoa, em que está presente o individualismo romântico, mas refundido e dando expressão ao conflito local.[70]

---

[70] Seria interessante examinar desta perspectiva o estranho "Ainda uma vez, adeus!" de Gonçalves Dias, tão romântico pelo movimento e tão fiel às contingências civis na existência dos amorosos. Um movimento comparável encontra-se em Alencar, p. ex. na figura de Mário, o rapaz orgulhoso e injustiçado de *O tronco do ipê*.

4. Iaiá Garcia

"Quem era ela para o afrontar assim?"[1]

"[...] mas não caia no romanesco, o romanesco é pérfido."[2]

Com *Iaiá Garcia* chegamos ao fim da primeira fase machadiana e deste capítulo. Depois do cinismo ingênuo de *A mão e a luva* e do purismo de *Helena*, veremos uma atitude que, sem traduzir-se jamais em desrespeito, é de completo desencanto. Uma posição circunspecta, por assim dizer adulta, que não se priva da reflexão e dos sentimentos desabusados, nem do apoio da ordem estabelecida (e que é um compromisso entre a exigência moral de Helena e o realismo de Guiomar). É ela a responsável pelo clima ao mesmo tempo apagado e poderoso que pesa sobre este livro sem humor. Melhor, pontos de vista de uma audácia muitas vezes excepcional ficam parados na sombra, sem outro efeito que o de existirem. Seu pessimismo não se expande em desapego ou na vivacidade do comentário crítico, e tem alguma coisa irredimida, contrária também à beleza literária.

---

[1] Machado de Assis, *Iaiá Garcia*, *OC*, vol. I, p. 316.

[2] *Idem*, p. 380.

Isso posto, veremos que ainda esta descrença é uma idealização, imaginada por Machado a fim de tornar aceitáveis os fatos da vida brasileira. A idealização desta vez é pouca, mas suficiente para os seus fins: protegendo as pessoas contra as ilusões com que o paternalismo as logra e diminui, *o desencanto lhes preserva a dignidade humana,* e por esta via inesperada salva a dignidade também ao próprio paternalismo. Assim, sendo incomparavelmente mais sério e verossímil que os romances anteriores, *Iaiá Garcia* junta-se a eles na intenção de justificar, que é o verdadeiro limite da primeira fase.

No que interessa ao realismo literário, note-se que esta idealização é da ordem do mal menor, e que o seu terreno — o terreno da descrença — é o paternalismo real em sua variedade. Este não era o caso para o otimismo cínico de *A mão e a luva*, nem para o purismo de *Helena,* que tinham fundamento em nosso processo social, mas o tratavam de pontos de vista muito limitados, a que correspondia a concentração em alternativas simplistas (p. ex. respeito ou desrespeito da pessoa, elevação ou baixeza dos motivos, ser um fraco ou ser um forte), que ao menor desdobramento do assunto se poderiam invalidar. Em *Iaiá Garcia,* desde as primeiras páginas o leitor percebe a realidade mais abundante, menos esquemática, e ainda assim melhor unificada. Como era de esperar, a apreciação realista das relações sociais é propícia também ao realismo literário, e se não assegura o ângulo crítico radical, pois pode se associar a uma atitude conformista, assegura a propriedade e a latitude na incorporação da empiria. Se nos romances anteriores a estreiteza do ponto de vista acabava por distanciar o paternalismo literário do que se praticava efetivamente, agora Machado está numa posição que os aproxima, e que permite a circulação mais desafogada entre os espaços do romance e da realidade. Em lugar das questões algo genéricas dos livros anteriores, veremos o leque das posições e das relações correntes, acompanhadas de seu vocabulário próprio.

Assim, passam para a literatura e serão matéria problemática, de primeiro plano — isto é, matéria em que estão em jogo o sentido e o valor da vida contemporânea, o que é o oposto de sua utilização localista — uma porção de expressões e noções ligadas à prática do paternalismo, que não haviam ainda merecido esta honra. Exemplos, mais ou menos ao acaso: seu pai foi amigo de meu pai, eu fui amigo de sua família, devo-lhe obséquios apreciáveis;[3] quem era ela para o afrontar assim?;[4] as relações não eram assíduas nem estreitas, mas sempre eles o tiveram em boa conta e o tratavam com carinho;[5] a mulher dele foi educada por minha mãe;[6] ele respeita-o muito — respeitar não era o verbo pertinente, atender fora mais cabido, pois exprimia a verdadeira natureza da relação entre um e outro;[7] obsequiava sem zelo, mas com eficácia, e tinha a particularidade de esquecer o benefício, antes que o beneficiado o esquecesse;[8] sempre nos mereceram consideração, não quisera recorrer a outra pessoa;[9] era a primeira vez que recorria ao seu serviço com tamanha solenidade;[10] nem por isso era menos amigo de obse-

---

[3] *Op. cit.*, p. 345 (as citações que se seguem estão parafraseadas, para facilitar a exposição).

[4] *Idem*, p. 316.

[5] *Idem*, p. 304.

[6] *Idem*, p. 343.

[7] *Idem*, p. 306.

[8] *Idem*, p. 300.

[9] *Idem*, p. 305.

[10] *Idem*, p. 304.

quiar;[11] a amizade benévola que sempre achei nesta casa;[12] o resguardo com que procedia, sem ostentar intimidade nem cair nos ademanes da servilidade;[13] uma senhora que te fez um benefício;[14] etc.

De modo mais geral, muita coisa trivial e mesmo sórdida está tratada pelo nome. A despeito das declarações antirrealistas de Machado, que já vimos, a ênfase no paternalismo não era contrária ao impulso realista. Assim Luís Garcia é funcionário público, tem uma caderneta da Caixa Econômica, a palhinha das cadeiras em sua sala de visitas está encardida, e terminado o expediente ele leva trabalho para casa, para melhorar o salário;[15] a guerra contra o Paraguai é patriótica, mas é ocasião também de favores comerciais e negociatas, que permitem a um fornecedor do exército triplicar o seu capital em pouco tempo;[16] a viúva Gomes vai ver uma casa que tem na Tijuca, e irrita-se com o estrago deixado pelos inquilinos; o mestre de obras que acompanhava a viúva na visita tinha uma prosódia execrável.[17] Etc., etc. São aspectos que não se prendem aos conflitos centrais, mas também não desdizem deles, nem da verossimilhança externa — uma disposição ao mesmo tempo solta e unificada, contingente e necessária, em que se expressam a coerência, a amplitude de espectro e o traquejo na visão das coisas, de que depende a poesia do ro-

---

[11] *Idem*, p. 299.

[12] *Idem*, p. 306.

[13] *Idem*, p. 334.

[14] *Idem*, p. 329.

[15] *Idem*, cf. capítulo primeiro.

[16] *Idem*, p. 339.

[17] *Idem*, p. 315.

mance realista e que neste sentido contam entre os seus elementos formais. Não falta nem mesmo a prova dos nove, o dó de peito deste equilíbrio, que é a incorporação ocasional e por assim dizer fluente de algum grande episódio da história pátria à trama da ficção, oportunidade em que a forma literária presume abertamente ser a forma da realidade.[18]

O episódio da guerra do Paraguai é uma tentativa neste sentido. Se olharmos de perto veremos que, embora a prosa muito oficial o estrague para a leitura, o capítulo é desabusado. O patriotismo quando aparece é logo desmentido, e a motivação que domina é condizente com o clima privado e paternalista do livro. Assim, Valéria Gomes alega razões patrióticas, mas na verdade manda o filho à guerra para afastá-lo de uma agregada da casa, a quem ele queria. Luís Garcia aconselha ao moço que obedeça, mas aconselha a contragosto e sem convicção, pressionado por Valéria, à qual deve obrigações familiares. Jorge (o filho) vai, mas para limpar-se aos olhos da amada que não quer saber dele, e que ele, moço rico, algum tempo antes havia brutalizado um pouco. Mais adiante, Jorge lutará com heroísmo fora do comum, como quem quer morrer — depois de saber por carta que a mãe aproveitara de sua ausência para casar a agregada. Em consequência, o moço merece a sua patente de major, enquanto o coronel diz consigo mesmo que a rapaziada sonha só com promoções. Terminada a guerra, três meses depois de regressar ao Rio, o clima não é de triunfo. Embora coberto de louros, Jorge enxergara na guerra "ao lado da justa glória de seu país, o irremediável conflito das coisas humanas".[19] Uma expressão, esta

---

[18] Ver a respeito as boas explanações de Lukács, na primeira parte de *Der historische Roman*, Werke, vol. VI.

[19] *Iaiá Garcia*, pp. 327, 335.

última, exemplar do realismo limitado que é próprio a nosso livro, em que o "conflito das coisas humanas" está amplamente desenvolvido, mas não expulsa da prosa "a justa glória de seu país". Mas façamos abstração deste limite, a que ainda voltaremos várias vezes. Resta que Machado tornava comensuráveis a literatura de ficção, a vida cotidiana e um episódio decisivo da história nacional, o que é um feito muito apreciável, e representa uma adaptação verdadeiramente criteriosa de um dos grandes lugares-comuns do realismo literário à realidade brasileira. Entretanto, se é certo que a dissolução da guerra patriótica em motivos privados a integra coerentemente no tecido do romance, é verdade também que o capítulo não tem o efeito fundamental de seus congêneres europeus, mesmo ruins, que é de dar a dimensão histórica ao romance. Faz falta em *Iaiá Garcia* uma concepção clara do que tenha sido a guerra do Paraguai, e a integração desta através de motivos privados é hábil, mas desprovida justamente da mencionada dimensão. Não era um defeito pessoal de Machado, pois ainda hoje o sentido daquela guerra é mal conhecido. São dificuldades a que não escapa o escritor brasileiro. Enquanto os romancistas franceses, bons e ruins, progressistas ou reacionários, beneficiavam-se da clareza que tinham as classes sociais e seus historiadores no que respeita à Revolução de 1789, às guerras napoleônicas, à Restauração etc.,[20] os nossos romancistas ficavam sem apoio, eram obrigados a fazer ideologia, histo-

---

[20] A *Revue des Deux Mondes* é uma leitura impressionante sob este aspecto, pela constância e franqueza do seu comentário à luta de classes, pela simplicidade na periodização e na determinação dos objetivos de cada revolução: 1789, 1830, 1848, 1871. A generalização europeia da consciência histórica a partir das guerras napoleônicas é, segundo Lukács, um pressuposto social do romance histórico. Ver a citada parte inicial de *Der historische Roman*.

riografia e ficção ao mesmo tempo, e de um jeito ou de outro pagavam a sua multa à cultura nacional pouco encorpada. É um caso de pressuposições sociais imprevistas que podem ter os empréstimos literários — tais como a maturidade maior da consciência de classe, ou o grau da divisão social do trabalho intelectual. Algo de comparável pode ser observado hoje, em nosso marxismo, cujos esquemas pressupõem um trabalho historiográfico que não está feito. Para ilustrar a nossa tese, melhor que Stendhal, ou Balzac sirva-nos um romance fraquíssimo de George Sand, o *Marquis de Villemer*, em que, segundo Pujol, estariam inspiradas *Helena* e *Iaiá Garcia*, o que é plausível.[21] Estudioso e modesto, o marquês em questão prepara uma obra histórica sobre o *Ancien Régime*, na qual a despeito de seu nome ilustre ele iria demonstrar que os títulos aristocráticos não passavam de usurpação. Ocorre que Villemer amará perdidamente a mocinha que serve de companhia à sua velha mãe, senhora esta que ele também quer muito, embora seja fútil e ciosa de genealogia (a moça chama-se Carolina de St. Geneix, e com as diferenças de que falaremos pode ser comparada à agregada de *Iaiá Garcia*). Tudo se arranja no final, mas o que nos interessa é que os amantes encontram uma justificativa ideológica do que sentem nas convicções intelectuais do herói, bem como numa visão de conjunto da história da França, e por extensão da Europa, além de se transformarem em figuras deste mesmo processo, o que é o mesmo que se historicizar. Enfim, um efeito poderoso, ligado a um grau de consciência histórica sem nada de excepcional, que entretanto era inacessível, em relação ao seu próprio país, a um escritor culto, refletido e audacioso como era então Machado de Assis. No que diz respeito à importância em suas literaturas respectivas, à dis-

---

[21] A. Pujol, *Machado de Assis*, Rio de Janeiro, José Olympio, 1934.

posição de inovar, de ver e de dizer as coisas como são, não há obviamente comparação entre o *Marquis de Villemer* e *Iaiá Garcia*. Entretanto, do ponto de vista raso e nem por isto menos real do acabamento convincente, em que a ordem social esteja transposta com naturalidade, o primeiro ainda leva a melhor...[22]

Mas, voltemos a nosso assunto, aos progressos que traz *Iaiá Garcia* à elaboração realista de nossa ordem social, e vejamos o elenco das personagens. Do lado dos dependentes, a galeria forma algo como uma escada, que começa na submissão total e inocente, vizinha da escravidão e da devoção religiosa, passa pela submissão abjeta do oportunista, chega à submissão contrariada das pessoas que se prezam, e vai mesmo à ruptura do vínculo de dependência, através do trabalho assalariado. Uma boa gama, através da qual se configura o processo social em sua variedade, de que as personagens são os tipos.[23] Assim, Raimundo é um criado "dedicado e submisso", escravo forro, que toca marimba e canta "vozes" africanas, cujo pensamento pousa em seu atual senhor e antigo proprietário "como um feitiço protetor"; não impede que seja pon-

---

[22] O problema é brasileiro, e não é só de Machado. Tanto que pudemos fazer observações análogas a propósito de Alencar, comparando *Senhora* ao *Romance de um moço pobre* de Feuillet. Entretanto, a falta de dimensão histórica tem fundamento histórico ela mesma, na distância imensa entre a vida popular e a História que fazem as nossas elites. Para exemplo, valha a expressão de Aristides Lobo, segundo a qual o povo assistira à proclamação da República "bestificado". Mais tarde, em *Esaú e Jacó*, Machado iria nessa mesma direção, no famoso capítulo das tabuletas, em que a proclamação da República deixa mal o proprietário da "Confeitaria do Império". Se em *Iaiá Garcia* a dimensão histórica faltava, em *Esaú e Jacó* é na sua falta que está a graça. Nesta perspectiva, 1964 talvez seja um limiar, pois grosso modo os participantes estavam a par do que se disputava.

[23] Sobre a importância propriamente formal da galeria de tipos, ver Lukács, *Balzac und der Franzoesiche Realismus*, Werke, vol. VI.

tual e impecável como um mordomo inglês.[24] Maria das Dores é uma pobre ama de leite catarinense, "para quem só havia duas devoções capazes de levar uma alma ao céu: Nossa Senhora e a filha de Luís Garcia"; a pobre velhinha não descansa enquanto não aluga "um casebre em Santa Teresa, para ficar mais perto da filha de criação".[25] O Sr. Antunes é escrevente, agregado e *factotum* do falecido Desembargador Gomes; é adulador emérito, filador de almoços e charutos, braço direito do Desembargador no escritório, nos recados eleitorais, nas empresas amorosas e nas compras domésticas; tem fumaças de grandeza e a secreta esperança de casar a filha Estela a Jorge, o filho do Desembargador.[26] Ocorre que Estela saiu ao contrário do pai, e é uma agregada orgulhosa, que não cede ao cerco que Jorge de fato lhe faz. O filho da casa a persegue, com os olhos a princípio, depois à força bruta, e por fim de longe, muito respeitosamente; "Quem era ela para o afrontar assim?" perguntava-se ele, com o que trazia o paternalismo para dentro da relação amorosa e para o centro dramático do livro.[27] Estela, mais adiante, casará sem amor, mas por decisão própria e sem sofrer a humilhação social, e quando lhe morre o marido ela será professora numa escola de meninos, no norte de São Paulo, escapando afinal à teia das obrigações familiares. Como lhe dirá o pai, decepcionado, "tu és uma fera".[28] O marido de Estela, Luís Garcia, é um funcionário trabalhador e retraído, que preza sobretudo a sua independência, embora esteja ligado — muitas vezes a contragosto — por favores recebidos e

---

[24] *Iaiá Garcia*, pp. 300-1.

[25] *Idem*, pp. 303-4.

[26] *Idem*, pp. 311-2.

[27] *Idem*, p. 316.

[28] *Idem*, p. 406.

prestados à família do Desembargador; o seu ponto de vista mais ou menos converge com o clima ideológico do livro, e voltaremos a ele em detalhe. Iaiá Garcia, enfim, filha do primeiro casamento de Luís, é uma versão mais amena de Guiomar: tem a bossa do luxo, e apesar da origem modesta casará com Jorge, e fará uma vida de alta sociedade. No todo, já se vê que a escala é complexa, pois nem a dependência é sempre indigna, nem a independência é sempre feliz. — Mas vejamos o lado dos poderosos. Também eles diferem entre si. Se os compararmos ao outro campo, a virtude aqui é quase nada, o que ideologicamente é decisivo. No entanto, uns aparentam mais que outros. Valéria Gomes, a viúva do rico Desembargador, gosta das pessoas que dependem dela, e porque é calorosa não hesita em dispor delas conforme lhe dê na veneta. Também seu filho Jorge é boa pessoa, respeitoso do decoro e grave nas atitudes. Não impede que seja irresponsável, inconstante e nulo, — o gênero de cavalheiro estimável que Machado estudava e não ousava ainda qualificar, e que já nas *Memórias póstumas* o narrador chamaria "um compêndio de trivialidade e presunção".[29] Todos os seus passos têm a cobertura das relações familiares. A galeria se completa com Procópio Dias, o vilão do livro, que não recua diante de nada. Seus crimes vão da negociata em tempo de guerra e da calúnia a gostar da boa mesa e do outro sexo. Pior ainda, sendo cinquentão, quer casar com Iaiá, que tem dezessete. Um espectro que a noção de materialismo ("Para ele, a vida física era todo o destino da espécie humana")[30] e a pincelada diferente, tomada à literatura realista, muito farisaicamente unificam. Também ele, no entanto, pertence ao universo do paternalismo: os seus negócios

---

[29] Machado de Assis, *Memórias póstumas de Brás Cubas, OC*, vol. I.

[30] *Iaiá Garcia*, p. 339.

se fazem através de influências pessoais, e seu amor por uma moça pobre, à qual o casamento daria tudo, é motivado pela obrigação de reconhecimento eterno em que ela ficaria.[31] Mais tarde veremos que esta figura tão diferente das outras convive facilmente com elas, e que o processo social estava unificando o que a ideologia e o estilo literário separavam. Aliás, a relativa normalização das relações entre paternalismo e interesse material é um dos sinais da maturidade deste romance. É uma questão que permite acompanhar o discernimento com que evoluía Machado: retomava a naturalidade na consideração dos bens da vida, que era a força de *A mão e a luva*, mas abandonava-lhe a satisfação ostensiva e forçada; enquanto que dos melindres de *Helena* ficava a sensibilidade para a opressão, que era a sua componente crítica, e desaparecia o moralismo. Assim, o desencanto sem revolta que reina em *Iaiá Garcia* é uma síntese precisa e refletida do que era vivo nas experiências precedentes, — sem dizer, por isto, que se livrava de todo o seu peso morto.

Nas grandes linhas, as observações que fizemos nos mostram que a matéria dos romances anteriores está ampliada, unificada e amadurecida. O paternalismo está presente em toda parte e de várias maneiras, no centro dos conflitos e nas figuras periféricas, enquanto terminologia, matéria de observação trivial e assunto de reflexão mais sustentada, enquanto clima, ideologia, elemento de caráter, e veremos também que enquanto mola profunda do enredo e da organização formal. O leitor que nos acompanha sabe que esta unidade, a que a verossimilhança dá o natural (ou melhor, daria, pois veremos em seguida quanto a unidade de *Iaiá Garcia* ainda é precária), é um ponto de chegada, e não de partida. Representa um trabalho já considerável de apropriação e crí-

---

[31] *Idem*, p. 362.

tica, da realidade e da literatura.[32] Assim, ao contrário do que parece, o crescimento que constatamos do espaço social, histórico e mesmo geográfico, não é uma questão primeiramente quantitativa, de inclusão de elementos novos, mas depende de um esforço de diferenciação e crítica internas, em vários planos, de elaborações ideológicas e formais de que é o efeito literário. Ao menos em parte, a qualidade da observação, a sua quantidade e sobretudo o seu efeito de unidade dependem daquelas elaborações, e a empiria no romance é o resultado de muita reflexão e construção. Um exemplo desta influência da crítica sobre o que parecem ser os dados elementares da observação: já havíamos notado que a ideologia de *Iaiá Garcia* suprime limites que vigoravam nos romances anteriores. Esta a versão negativa da vantagem, enquanto ausência da desvantagem. Entretanto, na ausência daqueles limites, novos aspectos da matéria assumirão a função formal, e o resultado é a realidade melhor "observada", isto é, melhor recriada. Assim, o clima desiludido de *Iaiá* permite a consideração mais desimpedida do movimento dos favores e das dependências, através do qual se desenha, sem que seja propriamente afirmada, uma unidade social — e literária — diferente. O paternalismo não está mais tratado e contido nos limites acanhados de uma só família, e o conjunto de pessoas que o livro acompanha modificou-se ligeiramente, em direção do que era a realidade. Em lugar da família restrita, unida por laços de san-

---

[32] Ver as observações metodológicas de Marx, segundo as quais o concreto, no trabalho da crítica social, é um *resultado* e vem no fim, uma síntese de determinações abstratas. O que procuro indicar aqui, em relação ao trabalho do romancista, é análogo. Cf. K. Marx, "Einleitung", *in Grundrisse der Kritik der politischen Oekonomie*, Frankfurt/M., Europaeische Verlagsanstalt, s.d., p. 21. Para um excelente comentário brasileiro da questão, ver J. A. Giannotti, "Contra Althusser", *in Revista Teoria e Prática*, São Paulo, 1968, nº 3.

gue, e perturbada pelo contato com estranhos, veremos uma destas moléculas algo soltas e contingentes, que se podem chamar uma parentela, em que um pouco ao sabor das circunstâncias e das conveniências se associam os laços de sangue, o compadrio e os favores trocados.[33]

Dizíamos que em *Iaiá Garcia* as relações entre paternalismo e interesses materiais se normalizam, o que torna mais uno o livro e é sinal de maturidade. Contudo, noutros momentos deste estudo insistimos na importância que tinha em nossa vida ideológica a citada contradição, que dadas as circunstâncias era de caráter por assim dizer insolúvel. Como ficamos? Recapitulando: em *Helena*, paternalismo e considerações de riqueza são como água e óleo, o que naturalmente era ingênuo. Em *A mão e a luva* eles coabitam escandalosamente, e a ingenuidade estava em supor que isto fosse um benefício. Já em *Iaiá Garcia* o problema aparentemente inexiste, o que em certo sentido é mais conforme com a realidade, mas noutro não é. — De modo geral, os historiado-

---

[33] "Um coronel era também, em geral, o chefe de extensa parentela, de que constituía por assim dizer o ápice. Esta era formada por um grande grupo de indivíduos reunidos entre si por laços de parentesco carnal, espiritual (compadrio) ou de aliança (uniões matrimoniais). Grande parte dos indivíduos de uma parentela se originava de um mesmo tronco, fosse legalmente, fosse por via bastarda; as alianças matrimoniais estabeleciam laços de parentesco entre as famílias quase tão prezados quanto os de sangue; finalmente os vínculos de compadrio uniam tanto padrinhos e afilhados, quanto a compadres entre si, de modo tão estreito quanto o próprio parentesco carnal." O prestígio dos coronéis "lhes advém da capacidade de fazer favores". M. I. Pereira de Queiroz, "O coronelismo numa interpretação sociológica", *in* Boris Fausto (org.), *História geral da civilização brasileira*, tomo 3, vol. I, São Paulo, Difel, 1975, pp. 164-5 e 171. Também na capital a questão se colocava, mas de modo um pouco diverso, que é justamente o assunto de *Iaiá Garcia*.

res concordam em dizer que a partir de 1850 o Rio de Janeiro entrava em nova fase, com melhoramentos urbanos, dinheiro disponível, lojas, luxos, fundação de bancos, especulação financeira, falências etc. Para o que nos interessa, trata-se da entrada da forma-mercadoria e de seus efeitos ideológicos — o fetichismo, que consiste em ver na mercadoria não o efeito, mas a razão dos relacionamentos sociais, o que é contrário às relações paternalistas, que naturalmente se querem primeiras[34] — para a vida cotidiana, sem que se transformasse a base escrava da economia. É claro, no entanto, que o paternalismo não terá impedido os ricos e poderosos de brilharem também nesta área, que aliás lhes pareceria o complemento natural e moderno de seu poder, cujo fundamento sempre fora o capital. Mas é claro também que a ideologia secretada pela introdução da mercadoria no cotidiano é contrária ao relacionamento paternalista. Assim, talvez seja possível dizer que havia contradição, mas que ela não expressava um antagonismo entre classes, ou antes que expressava duas formas de um mesmo poder, que aos poucos e sempre conforme a sua conveniência passava de uma para a outra, sem que a dissolução dos vínculos tradicionais tivesse caráter subversivo. A inanidade histórica (local!) desta contradição — que do ponto de vista moral entretanto era estridentíssima, além de estar assimilada à outra, entre as relações feudais e capitalistas, que catalisava a totalidade da ideologia europeia da época — é o fundamento do cinismo

---

[34] K. Marx, "O fetichismo da mercadoria", *in Das Kapital*, Berlin, Dietz, 1972, cap. 1, § 4. Ver a propósito o belo estudo de Pierre Villar sobre a presença literária do fetichismo do dinheiro na Espanha de Cervantes, "The age of Don Quixote", *in New Left Review*, nº 68, Londres. Machado registrou o fenômeno com frequência, na crônica, na figura do próprio Procópio Dias, em Cristiano Palha, em Batista etc.

de *A mão e a luva*, o qual, se lhe descontarmos o otimismo, já é o mesmo da segunda fase de Machado: com estardalhaço, dinheiro e paternalismo se põem juntos. Já em *Iaiá Garcia* a mesma contradição mal é notada. Procópio Dias é um negocista e autêntico representante do dinheiro desalmado, mas não é nesta qualidade que participa dos conflitos do romance. O próprio Jorge a princípio é um dândi da rua do Ouvidor, porém as questões do luxo mundano são indiferentes aos conflitos em que ele será parte. Noutras palavras, o desquite entre a tradição social e a força do dinheiro, que dá a esta última o *frisson* diabólico e literário, tem papel apenas pitoresco. Já Valéria, cuja fortuna de fato influi no curso dos conflitos, dispõe de suas posses de maneira tradicional — e naturalmente em conformidade com os seus desígnios familiares — dotando as duas moças pobres que lhe frequentavam a casa, Estela e Iaiá. Assim, o dinheiro neste romance não tem existência autônoma, e aparece direta e "naturalmente" vinculado ao poder paternalista, do qual é um apêndice não contraditório. Uma solução que tem a relativa verdade que já vimos, e que do ponto de vista da unificação literária é vantajosa, — mas ao preço de recuar da sociedade contemporânea, que está muito mais presente em *A mão e a luva*, tão mais pobre noutros aspectos. Por mais rigorosa que seja a análise das relações paternalistas, a exclusão da esfera do dinheiro autônomo tem um efeito idealizador, e dá aos conflitos deste livro uma dignidade antiga, que os outros, mais perseguidos pelo dinheiro, não têm. Por outro lado, a idealização não parece forçada, e talvez se possa dizer que consiste simplesmente num modo um pouco velho de encarar a sociedade contemporânea, nos termos que foram próprios à sua fase anterior, quando a presença do dinheiro e da mercadoria no relacionamento pessoal ainda seria menor, — um modo de ver que de certo continuava muito generalizado e acatado, embora já não viesse a propósito, e representasse uma renúncia intelectual. Seja como for, empurrada por uma porta, a realidade voltaria pela outra. As questões da dependência e independência de Estela e Luís Garcia, em cuja análise Machado empenhava o seu brio de escritor, farão com que estas mesmas contradições reapareçam — noutro plano e nem sempre voluntariamente — e com elas a modernidade. Vejamos.

O clima nos episódios iniciais do livro é de constrangimento. Desde as primeiras páginas sabemos que nada é tão caro a Luís Garcia quanto a independência e a distância. Não obstante, ele atende prontamente ao bilhete de Valéria Gomes, que incomodava o seu horário de trabalho, como fica bem claro; e depois de opor alguma resistência à viúva, ele consente no obséquio que ela lhe pede, embora seja contrário à sua convicção. Por que obedece? Não se saberá. Em troca, este seu silêncio nos permite situar a personagem, e nalguma medida o próprio romance. Trata-se de uma figura que já não admite a dependência pessoal, e que não pode portanto motivar com ela o seu comportamento. Por gosto e discurso, Luís Garcia não deve nada a ninguém. Porém na prática, ainda que contra a vontade... Antecipando sobre as consequências, note-se que neste quadro as motivações e compensações do comportamento real não podem se exprimir, pois são tidas como indecorosas, ao passo que as motivações expressas estão sempre sendo frustradas — o que é a receita para um livro abafado.

O primeiro retrato de Luís Garcia é feito de um acúmulo de negativas. É um viúvo taciturno e retraído, funcionário público, que habita uma casa retirada e sem luxo algum. Metódico e trabalhador, mesmo as suas qualidades menos inóspitas são contrárias à espontaneidade: é inofensivo, e as suas maneiras modestas e corteses são frias. Há também os traços francamente antipáticos: não retribui afeições, tem laivos de desdém, e uma ruga sardônica no coração. Contudo, para surpresa do leitor, "nem por isto era menos amigo de obsequiar. Luís Garcia amava a espécie e aborrecia o indivíduo. Quem recorria a seu préstimo, era raro que não obtivesse favor. Obsequiava sem zelo, mas com eficácia, e tinha a particularidade de esquecer o benefício antes que o beneficiado o esquecesse".[35] Pelo visto, uma espécie de misantropia que não é contrária às relações paternalistas, e até as favorece, contrariamente ao que poderia parecer. Note-se ainda que Luís Garcia *elegera* a casa retirada e *queria* a solidão, o que dá um traço voluntário à sua figura, que, neste ponto, é comparada aos frades que habitavam o morro em frente, onde também buscavam refúgio contra a labutação civil.[36] Mais adiante, pensando na filha, que sonha em ser professora de piano: "Demais, que lhe poderia ele desejar, senão aquilo que a tornasse independente e lhe desse os meios de viver sem favor?".[37] Retraimento, disposição de obsequiar, aversão ao obséquio, estima pela independência, são noções díspares e, em parte, incompatíveis. Para apreciar o alcance deste retrato, bem menos negativo do que parece, e que em certo sentido será mesmo um ideal — uma viravolta que já vimos a propósito de Guiomar, cujos defeitos também se revelavam virtudes à luz do contexto prático — é preciso acompanhar a personagem em sua visita à viúva Gomes.

Valéria quer mandar o filho Jorge ao Paraguai, como "voluntário", a fim de o afastar de Estela. Quando chama Luís Garcia, é para que este aperte o rapaz. As razões que ela dá são patrióticas, mas Luís Garcia não acredita nelas, e procura se furtar: "não tinha ânimo de aceitar a incumbência e não queria aberta-

---

[35] *Iaiá Garcia*, pp. 299-300.
[36] *Idem*, p. 299.
[37] *Idem*, p. 303.

mente recusar; procurava um meio de esquivar-se à resposta".[38] Valéria, entretanto, lança mão de todos os meios. Já a sua carta tivera este sentido de recurso, e saía do comum, pois dizia precisar de "conselhos",[39] o que era dar muita "solenidade"[40] às relações entre uma viúva rica e um modesto funcionário, a quem a família tinha o costume de pedir serviços ocasionais.[41] O motivo patriótico por sua vez é irrepreensível, mas a sua vantagem principal na circunstância era de envolver a dama e o funcionário num desejo comum. Como Luís Garcia não mostre entusiasmo, Valéria gaba o respeito que Jorge lhe tem — o que é também falso, pois como diz o narrador a relação entre eles não é desta ordem,[42] e logo adiante o moço sorrirá duas vezes dos conselhos de Garcia, uma com desdém, outra com afabilidade.[43] Diante de mais esquivas do funcionário, Valéria morde o lábio e faz um gesto de despeito, mas insiste ainda, agora em nome da estima que a família e ela lhe merecem, o que praticamente inverte a hierarquia entre os dois.[44] Acuado, Luís Garcia acede "frouxamente",[45] para logo recuar outra vez, quando Jorge lhe explica, sem entretanto revelar o nome da moça, o verdadeiro motivo de Valéria.[46] Nova investida da viúva, que se deixa ficar

---

[38] *Idem*, pp. 305-6.
[39] *Idem*, p. 299.
[40] *Idem*, p. 304.
[41] *Idem*, p. 307.
[42] *Idem*, p. 306.
[43] *Idem*, p. 309.
[44] *Idem*, p. 306.
[45] *Idem, ibidem*.
[46] *Idem*, p. 308.

contra o portal e se queixa da solidão em que está. Tomando a mão de Luís Garcia, mente-lhe em voz sumida, dizendo que Jorge quer a uma senhora casada, e que esta é a verdadeira razão para afastá-lo do Rio.[47] Mais levemente, a mesma insinuação por assim dizer cênica viera já no início do capítulo, onde Valéria também dava a mão a Luís Garcia, e era considerada pelo narrador do ponto de vista de seus atrativos: "Valéria recebeu-o afetuosamente, estendendo-lhe a mão, ainda fresca, apesar dos anos, que subiam de quarenta e oito".[48] Nas restantes páginas do livro, nenhuma palavra mais sobre esta hipótese, que desaparece como um mau pensamento (mesmo nos dois breves instantes mencionados, em que alguma coisa paira no ar, o assunto não chega a ser batizado, o que é um exemplo das presenças tácitas características deste livro). Por outro lado, o argumento do adultério deixa sem resposta Luís Garcia, que finalmente aprova a viúva e promete auxiliá-la.[49] "Era noite quando Luís Garcia saiu da casa de Valéria. Ia aborrecido de tudo, da mãe e do filho, — de suas relações naquela casa, das circunstâncias em que se via posto."[50]

Noutras palavras, ao mesmo tempo que Valéria pede a Luís Garcia um obséquio que ele não quer e acha que não deve fazer, ela lhe oferece toda sorte de compensações imaginárias, todas ligadas à supressão da diferença social que os separa. De sorte que os conselhos de Luís Garcia seriam ouvidos, a sua pessoa seria respeitada, a sua estima seria tida em grande conta na família do Desembargador, e ela, Valéria, estaria tão sozinha e precisada de

---

[47] *Idem*, p. 310.
[48] *Idem*, p. 304.
[49] *Idem*, p. 310.
[50] *Idem, ibidem*.

ajuda que nem mesmo o amor entre os dois estaria excluído. Entretanto, sabemos que Valéria não queria ouvir conselho nenhum, que a história do respeito era invenção, que se pudesse obrigaria Luís Garcia à força, e que logo adiante, para completar a obra, ela lhe arranjaria o casamento com Estela, que não só não é uma senhora rica, como é uma moça pobre. E sabemos principalmente que por presunção social, Valéria quer impedir a entrada em sua família desta mesma moça, que aliás é das mais estimáveis e merece um excelente marido na opinião da própria viúva. Em suma, esta última em matéria de desplante vai longe, improvisando segundo as necessidades do momento, e sem temer as viradas bruscas, nas quais se manifestam justamente o aspecto discricionário, a impunidade tranquila da autoridade paternalista, que no caso têm a cobertura suplementar da "feminidade". — Quanto a Luís Garcia, ele forma o seu juízo com independência, não acredita nas palavras da viúva, sente-se "aborrecido" entre as promessas e pressões que ela faz, mas não vai ao ponto de "abertamente recusar". Concorda "frouxamente", que é a maneira pela qual neste livro se assumem as relações sociais: com mil reservas. Por outro lado, vistas as coisas em seu conjunto mais amplo, faz Luís Garcia muito bem, pois logo adiante Valéria dará um dote a Iaiá, filha do primeiro casamento de Luís, e outro a Estela, que será a sua segunda mulher, com o que a vida do funcionário melhora bastante.

Resumindo, um movimento em que de baixo para cima se trocam serviços por apreço, enquanto que em sentido inverso, mas sem que a conexão entre os dois momentos se explicite, o apreço se traduz em benefícios materiais. Ponto de passagem obrigatório e nevrálgico nesta troca diferida é o arbitrário da gente de posses, cuja benevolência não é nunca inconcebível, e em cujo poder está até mesmo a anulação da diferença entre as partes, pela cooptação — sem esquecer o outro polo do arbitrário, que é a prepotência — de modo que à parte dependente é sempre permitido alimentar fantasias, de que a parte dominante abusa conforme lhe convenha. Os pressupostos sociais são os mesmos dos livros anteriores, mas o movimento aqui é mais complicado, e sobretudo está em termos que em plena era burguesa eram difíceis de dignificar. À sua luz, os casos de Helena e Guiomar ficam simplórios.

    Este o contexto para compreender o que representa Luís Garcia. O seu retraimento sistemático o defende das ilusões que a componente de capricho, inseparável das relações paternalistas, efetivamente autoriza. Esta ilusão com fundamento é, segundo Luís Garcia, o verdadeiro mal. É enquanto resposta a ela que os traços negativos do funcionário se tornam virtudes, e a sua figura intencionalmente apagada e pouco atraente se transforma, nalguma medida, em *ideal*, — uma viravolta, seja dito entre parêntesis, em que o desejo de idealizar e aperfeiçoar se aliava a um grau de ceticismo incomum. Dado que a fortuna e as distinções sociais estão na dependência do favor, e portanto das quimeras da gente rica, o melhor é abafar as esperanças e ambições. Inevitavelmente, estas entregam a parte dependente atada de pés e mãos, como um joguete. *Ora nada é tão detestável e indigno como dar a intimidade dos próprios anseios em espetáculo ao desfrute alheio.* A humilhação das humilhações, aquela que é visada neste livro, não está nas relações de dependência enquanto um fato, mas nas ilusões que as acompanham, e sobretudo no gozo muito particular que acompanha estas últimas. Existe uma espécie de libidinagem do paternalismo — abordada obliquamente em *Helena* — que a Machado neste momento causava horror, em cuja exploração entretanto ele iria se comprazer ao infinito nos romances da segunda fase — dois anos mais tarde! — de que ela seria a matéria por excelência. Assim, recusando-se as imaginações que lhe insinuava Valéria, Luís Garcia deixava sem eco a diferença social, que ficava reduzida à sua expressão mais simples (e injustificável, embora jamais criticada). Um duro juízo: um regime que torna desfrutáveis as pessoas pelas suas melhores qualidades, pelo natural desejo de distinção e reconhecimento, enquanto que só o desencanto completo lhes defende a dignidade contra as indecências da ilusão social. Nestas circunstâncias, a melhor homenagem que um homem presta à sua humanidade é não deixar que ela desabroche. Na mesma linha, o livro chega a encarniçar-se contra tudo que é imaginário e espontâneo. Valoriza o casamento sem amor, mas sem ilusão,[51] toma o partido do adulto contra o infantil,[52] do durável contra o passageiro,[53] vê com relatividade o patriotismo, como aliás qualquer outro entusiasmo, e na passagem que citamos, em que os estudos de piano de Iaiá são lembrados como uma possível garantia de independência econômica, o narrador se apressa em acrescentar que ela não tinha talento: "que importa? Para ensinar a gramática da arte, era suficiente conhecê-la".[54] É como se um pouco de gosto fosse já fatal, pois descobre ao público um pedaço de intimidade, que é por onde a corrente das ilusões pega e nos pode tragar. Em suma, uma ascese triste, que não se liga a absoluto algum. A coleção das privações não leva ao céu nem espiritualiza, nem é também ligada à valorização do trabalho. Destina-se apenas a escapar à humilhação do logro.

Contudo, isto não quer dizer que Luís Garcia se furtasse à prática do favor. Já vimos que "nem por isto era menos amigo de obsequiar. [...] Quem recorria a seu préstimo, era raro que não

---

[51] *Idem*, p. 335.

[52] *Idem*, pp. 303, 320, 330.

[53] *Idem*, p. 402.

[54] *Idem*, p. 303.

obtivesse favor. Obsequiava sem zelo, mas com eficácia, e tinha a particularidade de esquecer o benefício, antes que o beneficiado o esquecesse".[55] A expressão-chave é "sem zelo, mas com eficácia". Em sua primeira metade, encontramos o desencanto nosso conhecido. Luís Garcia presta os seus favores a frio, sem maior envolvimento pessoal, a ponto de esquecê-los depressa, o que o preserva da traficância de imaginações que acompanha o obséquio paternalista. Neste sentido trata-se de limpar a troca de favores de seu aspecto caloroso e indigno, ligado às relações de dependência, de que Machado tinha uma análise tão dura. Por outro lado, esta limpeza tem também o caráter de uma *racionalização*. É como se na ausência de empenho pessoal o fluxo dos favores corresse mais numeroso e eficaz. Os obséquios seriam feitos a não importa quem e sem razões subjetivas, o que os assimila a um serviço corrente prestado à sociedade, e os separa das personalizações do poder, que seriam não só degradantes, como contrárias à eficácia. Esta a ideologia da personagem, que muito refletidamente representa uma crítica de nossos males, e um remédio, como aliás já acontecia com Helena e Guiomar.[56]

Antes de mais detalhes, note-se que esta ideia de obséquio impessoal é uma contradição em si mesma. Guarda a forma da

---

[55] *Idem*, pp. 299-300.

[56] Para um comentário prático a esta impessoalização do favor, ver a correspondência com Nabuco. "Suponho que V. tem sempre o mesmo sinal para indicar que o pedido não é inexorável, mas um tanto forçado. Eu assim o entendi e mostrei ao Graça Aranha", lê-se numa resposta de Nabuco. Ao que parece, Machado não se negava a transmitir solicitações a seu eminente amigo, mas discretamente assinalava os casos em que não punha empenho. Assim, havia comunicado o desejo de Luís Guimarães Jr., que gostaria de ser chamado para uma vaga na missão que Nabuco chefiava na Europa. Cf. *Correspondência*, Rio de Janeiro, Jackson, 1955, pp. 45-7.

relação social e dispensa o seu móvel, que lhe parece inaceitável (as satisfações e vantagens ligadas à obrigação de favor). Algo de análogo aos militares nossos contemporâneos, que defendem o capitalismo, mas não gostam do lucro. Isso posto, do ponto de vista ideológico era uma fina solução, pois conciliava os interesses dos dependentes, dos proprietários, e a inspiração moderna. De fato, a impessoalidade suprimia as desvantagens morais da dependência, mas não o seu fundamento, ao mesmo tempo que representava a apropriação, sem quebra de contexto, do espírito do tempo: aperfeiçoava-se o obséquio, que se assimilava quanto possível, pela via de sua estilização, à troca e ao serviço impessoais, e o dependente se concebia como um funcionário do fluxo de favores. Acresce que os critérios da impessoalidade e da eficácia são, eles próprios, um tributo à ideologia burguesa clássica, embora em sua vertente utilitária, que a Machado pareceria ter mais realidade que a vertente liberal. Ainda nesta direção, os hábitos regulares e metódicos de Luís Garcia, a sua moderação, gravidade etc., que são parte do clima triste que o cerca, podem ser vistos também como elementos da ética do trabalho e da autonomia pessoal. E, para completar esta lista de acomodações modernizantes, há o criado Raimundo, em que se combinam traços da escravidão, da África, do feiticismo, e do mordomo inglês. — Do ponto de vista prático, era uma ideologia para *civilizar* a ordem reinante, mais que para mudá-la. Ainda uma variante do paternalismo esclarecido. Já do ponto de vista literário, é interessante ver a maneira oblíqua pela qual Machado se inspirava no mundo contemporâneo, cujas questões não desconhece, mas não deixa também que se substituam ao seu senso da realidade, a que mal ou bem elas se subordinam no processo da elaboração intelectual. Uma convicção não fanática da prioridade da experiência própria e nacional, que é difícil, pois significa enfrentar a enorme superioridade intelectual do mundo dito civilizado, sem curvar-se e também sem fechar-se a ela. O fenômeno é raro, como aliás indica a impressão de milagre que Machado adiante causará, quando estiver mais depurado sob este aspecto. Por outro lado, esta é uma razão, embora secundária, do pouco brilho deste livro: as questões de que ele trata têm peso, mas não estão em sua versão de espavento.

Contudo, há também os planos em que a síntese não se completa. Assim, a tensão entre o paternalismo e o sentimento burguês das coisas não é conflito somente interior às personagens. Muitas vezes, ela é também hesitação técnica e ideológica do narrador. Por exemplo nas primeiras páginas do livro, em que as maneiras frias e retraídas de Luís Garcia deixam supor uma história de sofrimentos e desenganos, que as explique, e que no entanto não vem. É que Machado apresentara modos correntes do paternalismo, que não pedem explicação biográfica, como sendo traços estranhos e particulares, o que eles certamente seriam em coordenadas burguesas. Em consequência, o funcionário começa como um esquisitão misterioso, e termina como o mais normal dos homens. A questão pode ser vista também pelo prisma do empréstimo literário, pois o rosto enigmático, de que ocorrências passadas e aspectos singulares da sociedade contemporânea nos darão a chave, é um começo clássico de narrativa realista. Mas não serve ao romance em tudo contrário à surpresa e ao excepcional que Machado queria escrever.[57]

---

[57] W. Benjamin relaciona a voga oitocentista da análise fisiognomônica (as "fisiologias") com o anonimato citadino e a universalização das relações de concorrência. O mito do rosto legível serviria de calmante à inquietação que acompanha a vida entre indivíduos hostis e concorrentes. Cf. W. Benjamin, "Der Flaneur", *in Charles Baudelaire*, Frankfurt/M., Suhrkamp, 1969. Para um exemplo caricato, ver as páginas de abertura do *Cousin Pons* de Balzac. O contexto de *Iaiá Garcia*, evidentemente, não era este.

De maneira mais profunda, o mesmo problema aparece nas idas e vindas entre Valéria e Luís Garcia, em que as razões de descontentamento para um e outro, mas sobretudo para Luís, vão se sucedendo. Dado o caráter independente deste, o leitor imagina que a acumulação vá culminar num afrontamento, o qual no entanto também não vem. É que as manobras de Valéria não são contabilizadas, como seria de crer, na coluna das infrações à liberdade alheia, mas sim como manifestações de sua posição e vontade, a que o dependente pode fugir um pouco, mas que ele não contraria e não julga, e, sobretudo, cuja legitimidade não está nas razões apresentadas, mas nos benefícios feitos. Ora, estes são aspectos que dada a ideologia do funcionário e do livro parecem indecorosos, e que em consequência ficam no escuro. Assim, os conflitos que a fisionomia moral das personagens faz esperar não desabrocham, e as várias acomodações ligadas à complementaridade real dos interesses não se comentam nem se explicitam. Este é o aspecto formal onipresente e mais importante do livro — um defeito, mas só em parte — a que voltaremos em pormenor. Por ora, retenhamos apenas o seu efeito frustro de tensão perdida, devido à maneira hesitante de apresentar a personagem, ora como um cavalheiro da segunda metade do século XIX, ora como um homem dependente em contexto paternalista. No episódio mesmo da visita de Luís Garcia esta vacilação se acompanha facilmente. Como vimos, Machado procurava conceber um comportamento discreto e impessoal, por assim dizer esclarecido, que livrasse a dependência de sua indignidade. Ocorre que para dignificar mais convincentemente a sua criação, Machado acabava lhe emprestando traços de elegância e de conselheiro, cujos pressupostos eram outros. A personagem claudica, pois desaparece o nervo de seu comportamento, que se prende justamente à sua posição social precária. Assim, Luís Garcia é interessante quando está na defensiva, quando não aceita nem recusa, mas se esquiva,[58] quando não se atreve a formular a dúvida,[59] quando tenta conciliar os desejos de Valéria com a sua própria neutralidade,[60] quando adota um meio-termo,[61] quando aceita frouxamente,[62] quando recusa mas não pode resistir às instâncias da viúva,[63] quando examina a furto a expressão nos olhos de Jorge,[64] quando procura escapar-se depois da janta sem falar ao moço,[65] quando confirma com o silêncio uma pia fraude de Valéria,[66] quando não se anima a perguntar,[67] e sobretudo quando volta para casa aborrecido de tudo, da mãe, do filho, e das circunstâncias em que se via posto.[68] A outra linha porém, na qual a tensão se perde, está igualmente presente. Aqui, Luís Garcia é um cavalheiro obsequioso, mas não obrigado, que trata Valéria de igual para igual, que lhe faz observações justas sobre a desproporção do que ela pede,[69] que se exercita em epigramas,[70] que superiormente não crê em pressentimentos,[71] que é dito cético

---

[58] *Iaiá Garcia*, p. 306.
[59] *Idem*, p. 305.
[60] *Idem*, p. 306.
[61] *Idem, ibidem.*
[62] *Idem, ibidem.*
[63] *Idem*, p. 307.
[64] *Idem, ibidem.*
[65] *Idem, ibidem.*
[66] *Idem*, p. 308.
[67] *Idem, ibidem.*
[68] *Idem*, p. 310.
[69] *Idem, ibidem.*
[70] *Idem*, p. 306.
[71] *Idem, ibidem.*

mas não duro,[72] o que dá ao seu comportamento um fundamento de compaixão e não de dependência social, que conclui friamente sobre as razões de Valéria,[73] que acha de mau gosto confiar à guerra um problema que o padre resolveria melhor,[74] que acha enfadonho o pedido de discrição que Jorge lhe faz, pois entre cavalheiros estas coisas são evidentes,[75] que fala francamente à viúva[76] etc. Embora tenha reconhecido a fundo a situação do inferior e as suas razões de resistir, e quisesse valorizá-las, Machado vai buscar os termos com que lhes dê brilho, o brilho mesmo que queria lhes reconhecer — nos modos da gente rica.

Embora mais forte, Estela é a réplica feminina de Luís Garcia. São duas figuras e situações paralelas, independentes uma da outra a princípio, o que dá generalidade social a seus problemas e reações. Como o seu par, Estela é caracterizada pela renúncia, de natureza defensiva e não ascética.[77] Para compreender-lhe a rigidez, é preciso passar pelo filho de Valéria, assim como passamos por Valéria para compreender o retraimento de Luís Garcia.

Depois de semanas de resistência, Jorge concorda em ir para a guerra. Não é para obedecer à mãe, nem para ouvir a Luís Garcia, é para buscar a estima de Estela, que não lhe pedira nada disso. Esta espécie de desencontro de motivos, diga-se de passagem, é constante em *Iaiá Garcia*, e veremos que é um princípio formal. No momento, nos interessa que esta não foi nem será sempre a

---

[72] *Idem, ibidem.*

[73] *Idem,* p. 308.

[74] *Idem,* p. 309.

[75] *Idem, ibidem.*

[76] *Idem,* p. 310.

[77] *Idem,* p. 313.

atitude de Jorge, que variou. A princípio, quando Valéria traz a moça para a sua casa, esta causa no rapaz "uma impressão forte".[78] Jorge a procura com os olhos, "linguagem que a moça não entendia, ou fingia não entender".[79] Quem era ela para o afrontar assim? — pergunta-se o moço, querendo dizer que uma agregada não diz não. Como ela continue a lhe fugir, a "fantasia sensual do primeiro instante"[80] se transforma, e no fim de um mês "a índole do sentimento [...] era mais pura".[81] Estela continua a evitá-lo, o que era "um aguilhão mais",[82] e provocaria a mesma pergunta uma segunda vez: "Quem era ela para o afrontar assim?".[83] O reflexo de classe desta vez é mais duro: "Saiba que posso vir a odiá-la e que talvez já a odeio; saiba também que posso tirar vingança de seus desprezos, e chegarei a ser cruel, se for necessário".[84] Estela não responde, vira-lhe as costas e beija os pombinhos que tem na mão. Jorge: "— Por que há de gastar, com esses animais, uns beijos que podem ter melhor emprego?".[85] Continuando, "puxou-a até si e antes que ela pudesse fugir ou gritar, encheu-lhe a boca de beijos".[86] Este é o ápice dramático do livro. Daí em diante, o moço machucado pelo remorso procura reabilitar-se aos olhos da agregada, e torna-se respeitoso. "[...]

---

[78] *Idem, ibidem.*
[79] *Idem, ibidem.*
[80] *Idem*, p. 314.
[81] *Idem, ibidem.*
[82] *Idem*, p. 313.
[83] *Idem*, p. 316.
[84] *Idem*, p. 317.
[85] *Idem, ibidem.*
[86] *Idem, ibidem.*

cabia uma parte da influência à severidade do caráter de Estela, que acabou por incutir no espírito de Jorge ideia diferente da que ele a seu respeito fazia".[87] A tal ponto, que durante quatro meses "Jorge forcejava por apagar a lembrança daquele episódio, havendo-se com o respeito e a consideração que lhe pareciam bastantes para resgatar a estima perdida".[88] Só quando perde a esperança "de a vencer pelos meios ordinários",[89] ele aceita a proposta de se alistar no exército. Na véspera da partida, esta fase de penitência culmina numa declaração de amor em boa forma, que equivale a um pedido de casamento. O orgulho de Estela não deixa que ela se contente com a reparação, e ela responde com "esta palavra má e desdenhosa: — O senhor é um tonto".[90] Jorge parte, e nos campos do Paraguai o seu amor se transformará em "uma fé religiosa".[91] Quatro anos mais tarde, quando regressa ao Rio, encontrará casados Estela e Luís Garcia. Durante algum tempo lhes evita a casa, que depois passa a frequentar com sentimentos confusos, os quais adiante se esclarecem, quando um médico lhe explica que o dono da casa sofre do coração e tem poucos meses de vida. Entre parêntesis, este é um dos elementos responsáveis pelo clima adulto do livro, notável em nossa literatura incipiente: Machado não se limitava ao amor dos jovens, e tratava longamente as ambiguidades do amor da gente casada. "Pensava muitas vezes na consequência de herdar em breve prazo a esposa de Luís Garcia, resolução que lhe parecia necessária;

---

[87] *Idem*, p. 318.
[88] *Idem*, p. 319.
[89] *Idem, ibidem.*
[90] *Idem*, p. 321.
[91] *Idem*, p. 325.

era o que ele dizia a si mesmo. E esse casamento tinha dois resultados: era uma reparação e uma desforra: reparação do mal que fizera, desforra do tratamento que ela lhe deu".[92] Pouco tempo depois Jorge se desinteressava de Estela — "entre duas xícaras de chá",[93] como diz a moça — e casa com a sua enteada Iaiá, filha do primeiro casamento de Luís Garcia.

Com este resumo, o leitor terá ideia da crueza não naturalista que Machado e o livro visavam, ligada ao intento de apurar as humilhações próprias ao paternalismo. E terá ideia também do grau de arbitrariedade a que se vê entregue o dependente, sobretudo se for mulher. Assim, o que do ângulo de Jorge é uma evolução sentimental, do ângulo da agregada é o leque dos acidentes que lhe reserva o amor de um moço rico — entre o grande prêmio de um casamento improvável, a brutalização, a "queda" e o esquecimento. Neste contexto de desigualdade extrema, em que as veleidades de um são quase o destino do outro, se explica e admira a conduta de Estela, uma singular mistura de obediência, desejo de evitar afrontamentos, e resistência sem concessão. Amando e sendo amada, Estela disfarça e "estrangula" o seu sentimento: "Nunca! jurou ela a si mesma".[94] Antirromanticamente, a distância social prevalece contra o amor, mas isto por convicção da própria valia, e não por tradicionalismo. Daí que as negativas muito decididas de Estela tenham elas mesmas alguma vibração romântica, pois na fuga à relação desigual ecoa a recusa da desigualdade ela própria, além de se insinuar uma concepção mais exigente do amor, de que a situação de dependência seria indigna.

---

[92] *Idem*, pp. 348-9.

[93] *Idem*, p. 402.

[94] *Idem*, p. 315.

Estela considera a dependência e os obséquios com os mesmos olhos de Luís Garcia, mas sendo mulher a sua margem é menor. Vive em casa de sua protetora, que deposita nela "as suas ideias e enxaquecas",[95] e à qual Estela é "obediente e grata".[96] Faz parte do espírito realista do livro que a agregada, a despeito de sua índole orgulhosa, aceite com naturalidade os favores que lhe são necessários para viver, e que faça o necessário para merecê-los. Diz Valéria, com estima: "nunca me desatendeu, e nunca me adulou".[97] Em dado momento, Valéria lhe oferece mesmo um dote. A primeira reação da moça é não aceitar, pois a bolsa da mãe e do filho são a mesma, mas rapidamente ela volta "à realidade da situação",[98] e concorda. Dentro do campo estreito e opressivo que é o seu, ela procura uma espécie de obediência sem baixeza, que corresponde aos obséquios frios de Luís Garcia. O que entretanto a constrange é a corte de Jorge. Esta sim lhe parece atentar à sua dignidade. Luís Garcia esfriava a troca de obséquios para opor um dique aos descaramentos da imaginação, sempre ávida de grandezas sociais, e portanto desfrutável. É neste mesmo sentido que Estela é adversária decidida do romanesco. O amor de um moço rico de fato pode suprimir as distâncias sociais, o que aos olhos da agregada não o valoriza. Pelo contrário, sublinha o desamparo de uns e o capricho impune de outros, além de alimentar esperanças indignas, que é preciso recusar. Assim, a dignidade de Estela como a de Luís Garcia se constroem como resposta à arbitrariedade de seus protetores, e especialmente a seu

---

[95] *Idem*, p. 330.
[96] *Idem*, p. 318.
[97] *Idem*, p. 314.
[98] *Idem*, p. 329.

aspecto mais veleitário, que é onde se concentra o caráter pessoal e degradante da subordinação.

"Simples agregada ou protegida, não se julgava com direito a sonhar outra posição superior e independente; e dado que fosse possível obtê-la, é lícito afirmar que a recusara, porque a seus olhos seria um favor, e a sua taça de gratidão estava cheia".[99] O leitor veja que a primeira parte da frase é modesta e conformada, enquanto a seguinte é desabusada e orgulhosa. Nesta segunda, a inferioridade parece transformar-se em superioridade. Seja como for, a dualidade reproduz a síntese de submissão e dignidade que Estela procurava. Mais de perto, note-se que a recusa é exasperada — a taça que estava cheia — e que a causa da exasperação está na repugnância pelo favor. Este movimento se completará no final do livro, quando Estela abandona a esfera familiar pela do trabalho, e pede ao pai que a acompanhe, para cessar "a vida de dependência e servilidade que vivera até ali".[100] Noutras palavras, o rigor com que Estela se apega à condição de subalterna é expressão de seu sentimento de igualdade, e lhe serve para ficar a salvo de seus protetores e para impedi-los de exorbitar. Assim, por exemplo, quando ela põe Jorge no seu devido lugar de moço rico — "o senhor é um tonto!" — do qual justamente ele queria sair. Não aceitando ficar em pé de igualdade, Estela não só priva o rapaz da possibilidade de lhe fazer um obséquio, como não lhe reconhece qualidade para fazê-la "subir", ao mesmo tempo que não lhe perdoa a diferença social. São meandros interessantes da apropriação do sentimento igualitário no interior do contexto paternalista. Ainda no trecho citado, com risco de forçar um pouco a mão, observe-se que o "direito" a que

---

[99] *Idem*, p. 315.
[100] *Idem*, p. 406.

a agregada não aspira não se refere diretamente à "posição superior e independente", mas a "sonhar" com a dita posição. Como Luís Garcia, Estela tem horror a sonhos desta ordem, nos quais o inferior abaixa a guarda e se deixa seduzir, além de reconhecer enquanto tal a própria inferioridade.[101] Mais tarde, justificando o seu casamento com Luís Garcia, em que houve apenas es-

---

[101] O preço da ilusão romanesca para o dependente é o assunto também de "Sabina", um poema narrativo das *Americanas* (1875), em que Machado procura combinar a dicção neoclássica e a esfera da fazenda. A mucama — Sabina — suspira pelo filho da casa, que certa manhã a surpreende à beira do rio, no banho:

"Flor da roça nascida ao pé do rio,
Otávio começou — talvez mais bela
Que essas belezas cultas da cidade,
Tão cobertas de joias e de sedas,
Oh! não me negues teu suave aroma!
Fez-te cativa o berço; a lei somente
Os grilhões te lançou; no livre peito
De teus senhores tens a liberdade,
A melhor liberdade, o puro afeto
Que te elegeu entre as demais cativas,
E de afagos te cobre! Flor do mato,
Mais viçosa do que essas outras flores
Nas estufas criadas e nas salas,
Rosa agreste nascida ao pé do rio,
Oh! não me negues teu suave aroma!"

Sabina, que não é Estela, cede. A moral não tarda: enquanto a cativa espera um filho "[...] o coração do moço, tão volúvel como a brisa que passa ou como as ondas" vai para uma donzela de sua classe, encontrada "num dos serões da corte", com que ele volta à fazenda, para atar "o laço conjugal". Machado, em se tratando de uma escrava, diz o seu pensamento com menos rodeios: a esperança romanesca é especiosa. Serve aos caprichos do senhor, e desserve o dependente. Cf. *Obra completa*, vol. III, pp. 140-5.

tima: "Não vi nenhuma porta abrir-se por obséquio, nenhuma mão apertou a minha por simples condescendência. Não conheci a polidez humilhante nem a afabilidade sem calor. Meu nome não serviu de pasto à natural curiosidade dos amigos de meu marido. Quem é ela? donde veio? [...] não foi preciso descer nem subir".[102] Assim, obséquio, condescendência, afabilidade e curiosidade dos ricos são humilhações a que Estela escapa ficando onde está, e sobretudo são outros tantos prazeres de que ela priva a gente fina. Noutras palavras, a cooptação é sempre degradante, e diferentemente dos romances anteriores o amor não basta para limpá-la. Pelo contrário, por ser a ilusão mais visceral, ele é a causa das humilhações mais profundas. É uma razão para descrer dele —, a qual, todavia, tem o resultado paradoxal de também preservá-lo. A solução de Estela consiste em dividir-se em duas. Dá ao paternalismo o que é dele, mas lhe recusa o amor. Uma agregada conforme e estrita, que não é tonta, forrada de uma alma incondicional mas reprimida. São impulsos opostos e combinados. Um de resistência e fortalecimento pessoal em face do arbitrário, e um bovarista. Assim, o antirromantismo prático de Estela tem conotação romântica e igualitária, uma constelação paralela à de Luís Garcia, cujos obséquios têm conotação de impessoalidade moderna.

O resultado surpreendente de tanta sensibilidade moral é o imobilismo. De fato, é melhor que fiquem todos em seu lugar e conheçam a sua condição. Não porque a diferença social seja justa ou porque a tradição a justifique, mas porque os mediadores do movimento — o obséquio, bem como o desejo de subir — são ainda mais degradantes. Este o lado conservador destas figuras, cuja consciência da situação é aguda, sem que se trans-

---

[102] *Iaiá Garcia*, pp. 402-3.

forme em consciência de classe. Mais exatamente, pela generalidade e pela recusa da solução pessoal a sua análise é de classe, sim. Entretanto a sua dimensão coletiva não tem sequência, e seus resultados são vistos na ótica do decoro e da dignidade da pessoa, o que os recupera para a esfera do paternalismo. Assim, a cooptação não repugna porque é uma solução individual, que deixa na mesma os demais dependentes, mas porque é um favor, e um favor tão grande, que não há como o pagar. Nesta linha, a dívida de gratidão parece pesar mais que a inferioridade social, o sentimento de estar quite é compatível com a situação dependente, a independência pode ser um estado de dívida. Noutras palavras, a contabilidade dos favores prevalece inteiramente, e Estela e Luís Garcia são puristas do débito pessoal, muito mais que a gente de posse, que além desta contabilidade tem outra, ligada à riqueza objetiva. São aspectos que existem, e em que aparece a falta de saída histórica das camadas dependentes.

Isto quanto às convicções de Estela, que têm interesse para o nosso argumento, embora no corpo do romance não tenham muita graça. Os méritos literários e realistas da personagem entretanto existem, e encontram-se noutras passagens, menos ideológicas. Aqui e ali, o complexo das razões da moça cria saídas de uma poesia inesperada e muito particular. Veja-se por exemplo o seu alívio, quando o amado parte para a guerra, cessando o cerco vexaminoso.[103] Ou o episódio do beijo forçado, em que Estela abafa um gemido, não grita, não foge, e trata de sair da situação sem afrontar Jorge e sem aludir a qualquer direito. A sua conduta tem uma coisa canina e comovente, que não quer ser judiada, não quer morder e não quer também sair de perto. Como pano de fundo, a necessidade de não romper com a família que a pro-

---

[103] *Idem*, p. 319.

tege, e a decisão de não ceder.[104] Neste sentido ainda, veja-se a maneira que tem Estela de ficar pegada com Valéria, para não se encontrar sozinha com Jorge.

Recapitulando, a ideologia de Estela e Luís Garcia representa uma tentativa de racionalidade. O seu tempo forte está na descrença e na renúncia, que eleva estas personagens acima das outras. Racionalidade, em primeiro lugar, do ponto de vista dos dependentes, que aprendem a não investir a esperança nas fantasias de seus protetores, nem nas próprias. O desencanto lhes dá clareza, e sobretudo elimina a dependência interior, que é o cimento subjetivo da relação. Não ficam a salvo de prepotências e caprichos, o que nas circunstâncias não seria possível, mas não são também logrados, e têm a distância necessária à dignidade e à política do mal menor. Examinada nos seus atos, a autoridade social não corresponde às razões paternais que a justificariam, e liquida-se o seu mito. Noutro plano, contudo, esta crítica da arbitrariedade beneficia dos prestígios contra os quais ela se bate. A sua convergência com a racionalização burguesa lhe dá conotação modernista, e a torna benvinda enquanto ideologia. O ideal de conduta esfriada que Machado elaborava trazia o sentimento da modernidade às duas partes interessadas, e não suprimia o paternalismo. Contra as más línguas, os dependentes atestam que seus protetores não são bárbaros, enquanto que estes se abstêm de os destratar, e mesmo os tratam como homens independentes e eficazes. Noutras palavras, a crítica, o comportamento funcional e os Direitos do Homem são apropriados por veleidade e por assim dizer exteriormente, para acompanhar os tempos. Já que não acreditava na via reta, Machado tenta outro caminho, apelando para a vaidade da gente de prol... Mas voltemos à di-

---

[104] *Idem*, pp. 316-7.

mensão racional desta ideologia, que é a mais marcante das duas, para sublinhar a sua posição de classe. De fato, ela consiste na coleta, na exploração, no resumo e na crítica da experiência dos dependentes, e o seu relevo literário depende de uma apresentação numerosa e dura da arbitrariedade dos ricos. Além do que, descrença e renúncia não são apenas resultado intelectual; são prova também de valor humano, pois representam a capacidade de incorporar a reflexão à prática, mesmo com sacrifício. Ora, é certo que os poderosos em *Iaiá Garcia* não têm nenhuma destas qualidades. Ainda nos sacrifícios que fazem, Valéria e Jorge são arbitrários. Assim, no que depende da ideologia, o mérito intelectual e moral é neste livro monopólio dos dependentes. Vale a pena insistir nesta oposição, pois ela determina a parte inicial do romance, e faz esperar um afrontamento — que não virá. Páginas atrás notamos a este propósito que se trata de um defeito de construção. Agora entretanto veremos que este defeito é o aspecto mais profundo e original de *Iaiá Garcia*, de que dependem inovações formais decisivas, que nos aproximam dos romances da maturidade. Como fio condutor, sirva-nos uma impressão: a segunda parte da narrativa não responde à primeira.

O movimento inicial, que se poderia chamar de exposição, em que são armados os conflitos e problemas, fecha-se com a partida de Jorge. As tensões que viemos seguindo ficam sem atualidade imediata, em suspenso, e parece chegada a hora de um primeiro balanço. A independência de Luís Garcia sofreu com as arbitrariedades de Valéria, Estela sofreu com o desrespeito de Jorge, e este a mesma coisa com as pressões da mãe e de Luís Garcia, que servira de intermediário à viúva. Em todas as oposições, um dos polos é o arbitrário paternalista, enquanto o outro é mesclado, mas incluindo uma referência aos direitos do indivíduo. A contradição ideológica está claramente traçada, e, em aparência, é central. Entretanto é fato que o desenvolvimento ulterior do romance passa ao largo dela e a esquece. Neste sentido, veja-se o estranho capítulo VI, em que pouco tempo depois da separação Valéria oferece um dote a Estela, e procura casá-la a Luís Garcia, a fim de completar o seu plano. Surpresa: nem a agregada nem o funcionário lhe querem mal, nem deixaram de lhe frequentar a casa, e o casamento convém a ambos. O próprio Jorge não guarda rancor à mãe, a quem "adorava".[105] Assim, desmentindo a expectativa, as contrariedades que Valéria viera criando ficam sem efeito sobre o curso da narrativa. A mola dos acontecimentos está na autoridade da viúva rica, e não nos antagonismos ideológicos ou nas questões de direito. A firmeza dos dependentes é maior que a de seus protetores, mas não parece que os conduza ao afrontamento, *e, para todos os efeitos, a contradição sumiu.* O fato é tanto mais notável, quanto a nota saliente da autoridade de Valéria é sempre o capricho, como assinala o narrador com muita insistência, aquele mesmo capricho a que o livro tem horror. Com candura e método, a viúva considera as suas vontades como sendo razões objetivas e suficientes, no que é precursora das heroínas da segunda fase. Por que motivo seria desejável que Jorge ficasse no Rio? Resposta, "porque também a mim custaria a separação".[106] Quando o filho (querendo evitar complicações) lhe diz que não convinha ter Estela em casa, pois é uma estranha: "— Que importa, se me dou bem com ela".[107] Agradecendo, o Sr. Antunes diz que a filha saiu à mãe, que era uma santa alma. Valéria: "Estela não o é menos. É bonita!".[108] Esta

---

[105] *Idem*, p. 327.

[106] *Idem*, p. 305.

[107] *Idem*, p. 328.

[108] *Idem, ibidem.*

última, enfim, é uma "qualidade simpática à viúva, que fora uma das belas mulheres de seu tempo".[109]

As observações a fazer são várias. Vimos que a dimensão ideológica reflete e valoriza o ponto de vista dos dependentes. Veremos agora que a dimensão do enredo é comandada pelo arbitrário de seus protetores. Digamos que, para se formularem, problema e conflito se alimentavam de uma vaga apropriação do igualitarismo burguês, ao passo que a sua evolução "real", isto é, a evolução que lhes imprime o enredo, corre nos trilhos da dependência pessoal, cujas alternativas são outras. Daí a descontinuidade e perda de tensão que assinalamos, *uma desarmonia que no entanto é ela mesma uma forma*, a transcrição formal de relações reais, no caso a permanente frustração das aspirações de independência da classe dependente. Na perspectiva de nosso estudo, esta forma deve ser saudada como o primeiro feito considerável do romance brasileiro — coisa de que mais adiante espero persuadir o leitor. Uma forma muito melhor do que nova, original no sentido forte da palavra, em que a originalidade do processo nacional vem a ser a premissa da fantasia romanesca, que vai se tornando exata. Antes, porém, de entrarmos no detalhe da interpretação, notem os interessados em marxismo que a verdade desta forma não parece redutível aos pontos de vista de classe que ela põe em presença. É certo que a forma se constitui porque Machado assume e valoriza o ponto de vista dos dependentes, mas me parece certo também que seus efeitos mais vivos escapam ao mencionado ponto de vista, bem como ao do opositor, e se prendem à gravitação do conjunto, em que a intenção das partes se perde, e que só dificilmente poderia ser atribuída a um ou outro.

---

[109] *Idem*, p. 330.

Retomando nosso fio, digamos que as contradições do início mais adiante se distendem, e ficam sendo apenas contrariedades. Em nenhum momento Estela, Luís Garcia ou Jorge enfrentarão Valéria, cuja autoridade é um *dado*, o dado inquestionado do livro. Toda a descrença e ciência crítica acumuladas por Machado e pelas personagens destinam-se a escapar às ilusões do paternalismo, mas não a questioná-lo, o que seria faltar ao respeito e à gratidão. O direito de Valéria é tabu. Note-se contudo que esta reserva da crítica — a unilateralidade mais gritante do romance e seu limite ideológico visível — não disfarça os aspectos negativos da personagem. Portanto, o seu efeito estratégico deve estar alhures. Na verdade, o tabu é a transcrição transposta de outro impasse mais agudo: como ficariam os dependentes, se a autoridade de seus protetores não fosse aceitável? Como ficariam as personagens positivas, Estela e Luís Garcia, cujas virtudes o livro procura elaborar? O respeito é mais necessário, dado o quadro sem saída histórica desta classe, aos dependentes que aos ricos. Assim, o tabu é a transposição da impossibilidade em que se encontra o dependente de resistir, e dá fundamento honrado a uma desgraça prática. Ainda que divergindo e de má vontade, e tendo horror à arbitrariedade, como deixar de ser submisso? Com que base? Misérias antigas, que chegaram aos nossos dias.

Mais de perto, veja-se a sem-cerimônia com que Valéria dispõe do próximo, segundo a sua fantasia, e não sem afeto. A sua protegida gosta de Jorge? ficará com Luís Garcia. Este, a quem a própria Valéria dera uma ponta de esperança, e que entrara na história a contragosto, sai casado com Estela. E Jorge, que quisera Estela, fica com as glórias da guerra. Um rearranjo geral e satisfatório, que permite a Valéria conciliar o orgulho de família, o amor materno e o carinho pelos dependentes, ao preço — para estes — de se substituir a vontade dela à deles. Mais tarde, em seus romances maduros, Machado estudará longamente o movimento destas relações, mais complicadas e compensadoras do que parecem. Os subalternos encontrarão satisfações várias à sombra da satisfação de seus protetores, e também na identificação com ela, o que aos olhos de nossos pressupostos individualistas, que na matéria são ingênuos, é o cúmulo. O leitor recorde o criado de Brás Cubas, que gostava de aparecer à janela do palacete de seu patrão, para significar "que não é criado de *qualquer*".[110] Eis um sentimento diferente e não individualista da liberdade, a qual, para quem não tem meios de praticar arbitrariedades em grande escala e por conta própria, consiste em andar de carona na arbitrariedade alheia. Liberdade enquanto participação na arbitrariedade. Ou seja, o famoso "estamos aí". Vejam-se as expressões de um contemporâneo: "Ter liberdade é ser ministro, deputado, presidente, chefe de polícia, delegado, subdelegado, inspetor; é ser desde comandante superior, até sargento e cabo da guarda nacional; é ser parente, amigo ou correligionário da autoridade, do juiz, do Desembargador, do meirinho".[111]

Voltando a *Iaiá Garcia*, esta é a dimensão que repugnava a Machado, e que em nome da dignidade, da razão e vagamente dos Direitos do Homem ele procurava criticar, e também relegar, pois ela configura a cumplicidade do dependente com a sua dependência. Razão pela qual ela pouco aparece, salvo na figura do Sr. Antunes, o saco de pancadas do romance. A ideologia ascética de Estela e do funcionário destinava-se justamente a desidentificar, a separar a vontade do protegido da do protetor, para torná-la estável e senhora de si, e deixá-la a salvo dos caprichos da gente rica. Uma intenção racional e louvável, que entretanto estabe-

---

[110] Machado de Assis, *Memórias póstumas de Brás Cubas*, cap. CLVI.

[111] Affonso d'Albuquerque Mello, *A liberdade no Brasil*, Pernambuco, Typographia de Manuel Figueiroa de Faria & Filho, 1864, p. 89.

lece um padrão de decoro que exclui quase inteiramente um aspecto-chave do assunto e um elo de seu circuito. Em consequência a matéria fica empobrecida, alguma coisa fica obscura, e sobretudo as proporções ficam incertas e prejudicadas. O despotismo de Valéria, por exemplo, adquire relevo excessivo, se a premissa é a rotina paternalista, mas é tratado com leviandade, se o critério é o respeito à pessoa alheia. O livro nos deixa entre os dois.

Este o lado antirrealista do avanço realista de Machado, cujo lado forte veremos em seguida. Desde já, vislumbram-se várias formas da obra madura, embora embrionárias e dispersas no conteúdo. Assim, o arbitrário dos ricos implica *descontinuidades* na vida e nos propósitos de seus dependentes, as quais são o seu complemento. Descontinuidades que resultam da conveniência do protetor, e que por isto mesmo são, além de imposições sofridas, serviços prestados, quer dizer, elementos de ligação e não de antagonismo. Merecem *compensação*, material ou em estima, a qual empurra as descontinuidades pessoais para segundo plano, enquanto vem à frente a continuidade da proteção, esta sim a verdadeira fiança do valor da vida. A distância entre as duas acepções é intransponível, e é facílima também de transpor, conforme a conveniência do momento — ambivalência que será uma das molas cômicas da obra futura de Machado. O leitor recorde as compensações que Valéria propõe: a Estela, um homem por outro homem; a Luís Garcia, uma esposa por um constrangimento; a Jorge, a glória militar por Estela. Não são trocas, pois não ocorreriam aos interessados. Mas não são também simples violências, pois incluem um momento de reparação e mesmo de participação, além do assentimento da outra parte. São descontinuidades e substituições que irão traduzir na prática a imposição da vontade de Valéria, e mais, a presunção efetiva de substituir a satisfação dela à do dependente, o qual ou cala a injunção anterior, ou sinceramente a esquece, ajudado pelos santos óleos do respeito e da admiração filiais pela autoridade. Por outro lado, se a satisfação do dependente é negligenciável quando não vai com a outra, ela é também indispensável, pois o que vale um protetor cujos dependentes vivam insatisfeitos? A descontinuidade na vida destes é compensada pela continuidade da proteção, e a satisfação da autoridade tem mais importância real em sua vida que a sua própria insatisfação. Neste sentido, por cálculo ou por ofuscação, ela é sua também, e não há como separar coisas tão misturadas. Em suma, uma satisfação vale a outra, desde que exista a aprovação de cima, que é a moeda deste sistema. Noutras palavras ainda, o reduto mais inexpugnável da identidade pessoal — a satisfação havida — é menos delimitado e seguro do que acredita a voz geral, e presta-se também ao quiproquó. (Considere-se em contraste que o Realismo oitocentista valorizava, na Europa, a continuidade da personagem, ideal que leva a separação individualista das pessoas, e, dentro destas, a separação de suas faculdades, à sua última consequência trágica.) É claro que uma figura "evoluída" como Estela, que "tem a alma acima do destino",[112] isto é, que é independente de espírito embora seja agregada, não admite substituir um amor por outro só porque Valéria quer: ela tem o seu foro íntimo, e não são as preferências de sua protetora que determinam as suas. Já seu pai, que é uma alma "subalterna",[113] vibra e se inflama com o prestígio dos ricos, a ponto de não conhecer entre a sua vontade própria e a deles. E naturalmente acha incompreensíveis as ideias de autonomia da filha. Diga-se de passagem que o livro respira a cada entrada do Sr. Antunes, a despeito da antipatia que Machado lhe tem: é que a sua figura realiza indisfarçadamente o ciclo das compensações

---

[112] *Iaiá Garcia*, p. 315.

[113] *Idem*, p. 311.

materiais e simbólicas — abjeto para olhos modernos — que é próprio à proteção paternalista. Um exemplo a mais dos caminhos inesperados da modernidade. Quem diria que observando o nosso atraso, de que não havia razão para se orgulhar, Machado apurava o sentimento da descontinuidade e da heterogeneidade do processo psíquico, e as suas imbricações com o poder social? Nas *Memórias póstumas*, dois anos mais tarde, a descontinuidade, a compensação e a substituição no domínio da experiência dita "imediata", estariam metodizadas e transformadas em princípio formal, da narrativa tanto quanto da prosa. Aprofundando o estudo da autoridade paternalista Machado situava-se além dos mitos burgueses da autonomia e da autenticidade da pessoa, e entrava pelas águas de Proust, Nietzsche, Freud & Cia.[114] —

---

[114] Esta afinidade entre atraso social relativo e formas avançadas de autocrítica da cultura burguesa é uma constante no trabalho de Machado. Algo de parecido se encontra, aliás, em vários dos melhores momentos da literatura brasileira. A propósito do Modernismo, Antonio Candido chama a atenção para o inesperado acordo entre a estética primitivista da vanguarda europeia, que representava a ruptura social e artística, e o primitivismo de nosso cotidiano (cf. *Literatura e sociedade*, São Paulo, Companhia Editora Nacional, 1965, pp. 144-5). Neste mesmo sentido a invenção linguística de Guimarães Rosa tanto é tributária do construtivismo radical da literatura moderna quanto se apoia na fala corrente e "diferente" de uma região de iletrados, que é tradição pura, o que lhe dá uma verossimilhança que nada tem a ver com o construtivismo (em coordenadas diferentes, a dimensão moderna do iletrado de Guimarães Rosa é analisada por Bento Prado Jr., em trabalho publicado na revista *Cavalo Azul*, nº 3, São Paulo, 1968). Na poesia de João Cabral, finalmente, a variação metodizada e "serial" dos termos é um elemento ostensivo da construção, contrário ao derramamento expressivo e ao poético de convenção. Não impede que a sua estrutura tão abstrata com frequência encontre apoio verista na realidade muito violenta e codificada da miséria nordestina, em cuja terminologia tradicional os contrastes e antagonismos se organizam um pouco à maneira da poesia antitradicionalista do poeta engenhei-

Entretanto, a descontinuidade não é privilégio dos dependentes. Embora diversamente, ela se encontra também do lado dos senhores — ela é da definição do arbitrário. Vejamos o enredo de *Iaiá Garcia*.

Quatro anos mais tarde, a volta de Jorge abre a segunda parte do romance. Estela e Luís Garcia estão casados, e Valéria está morta. O que fará o rapaz? A pergunta decorre da construção da narrativa. Depois de ser rejeitado por Estela, de ser prejudicado pela mãe, depois de se transformar em herói e de passar anos no estrangeiro, e agora diante da nova situação no Rio, Jorge fará pouca coisa. Visita o túmulo de Valéria, em Minas, liquida o inventário, e evita a casa de Luís Garcia. Assim, a sua vida é o traço de união entre as duas partes, e é mesmo a vaga linha de unidade do livro, mas não traz resposta aos conflitos do princípio. A perda de tensão é aquela mesma que já observamos, mas seu efeito agora é total, pois não decorre de um episódio, e sim do enredo do romance.

Em chave mais errática, o comportamento de Jorge continua as arbitrariedades de Valéria. Quando chega ao Rio, está um homem amadurecido. Tem diversos projetos intelectuais, que logo abandona, diante do "monte de documentos que teria de compulsar".[115] Quer viver retirado, mas faz vida mundana. Decide evitar Estela, e acaba frequentando a sua casa, onde o coração lhe bate "horas antigas". Com a assiduidade, torna-se íntimo

---

ro. — É natural que a autocrítica da ordem burguesa se faça, ao menos em parte, em nome das energias que ela pulverizou. Acontece que, em países da periferia capitalista, estas energias ainda se encontram soltas na rua, o que na corrida internacional pode ser um atraso, mas permite as confluências que procuramos sugerir, as quais possivelmente não sejam um fato só brasileiro.

[115] *Iaiá Garcia*, p. 337.

de Luís Garcia, cuja morte espera, para lhe herdar a viúva, à qual a situação desagrada horrivelmente. Enquanto aguarda, o coração do rapaz muda de preferência — sem conflito algum, "entre duas xícaras de chá" — e ele se casa com Iaiá. É uma evolução derrisória, como o resumo bem indica, em que o gesto respeitável anda de braço com a inconstância, a irresponsabilidade e o cálculo abjeto, uma das alianças favoritas do segundo Machado. À simples leitura, porém, este fundo movediço não ressalta, pois os contrastes se perdem na extensão do relato e no decoro da prosa. Faltava enxugar a matéria, para que as suas linhas e os seus ritmos próprios aparecessem com limpidez. Assim, em *Iaiá Garcia* as formas da segunda fase aparecem enquanto nexos do assunto, encobertos e diluídos por outras formas, estas convencionais.

Para nosso argumento, interessa que o arbitrário do paternalismo está enfim transformado em princípio formal, ainda que pouco desenvolvido: o seu movimento é o movimento do enredo. Vimos que em *Ressurreição* a intriga era determinada por um movimento psicológico, ou seja, pelas intermitências do ciúme de Félix. Em *A mão e a luva* ela era por assim dizer esquemática, ligada à escolha de um marido: entre dois rapazes com defeitos opostos, o melhor era um terceiro, exatamente o que convinha. Em *Helena*, a presença do paternalismo já é mais poderosa, e comanda episódios inteiros. Entretanto o enredo — que afinal é a instância formal suprema e a tese social tácita do romance oitocentista — era novelesco, ligado a revelações de paternidade e de incesto. *Iaiá Garcia* neste sentido conclui o processo que estamos estudando. O moço de boa família, desocupado como convém à ordem escravista, austero como convém ao cavalheiro de figurino vitoriano, melancólico e confuso como convém a esta contradição, já se encontrava nos romances anteriores, onde figura como resultado da observação social. Agora porém, com especial destaque para a combinação de autoridade e irresponsabilidade, os seus desdobramentos adquirem a força generalizadora através da qual a forma, em literatura, faz as vezes de realidade. Do ponto de vista do realismo, Machado tocava terra e transformava um grande ritmo social em elemento de organização literária, além de solucionar o impasse de seus livros anteriores, para os quais não havia encontrado uma fábula aceitável. Note-se todavia que a sequência desta nossa exposição, voltada sobretudo para as relações de verossimilhança entre a forma literária e o processo social, tem o defeito de diminuir o mérito do avanço de Machado, pois o torna um pouco óbvio. Para lhe conhecer a audácia, que é grande, considere-se que por definição o capricho não é um *projeto*. Ora, a forma clássica do romance realista se poderia resumir em "grandes projetos de um moço". A diferença leva longe. Esquematicamente, no projeto se valoriza a finalidade consciente das ações, que as governa e que elas devem realizar. Ao passo que no capricho ressaltam dinamismos da vontade que são menos propositados, e mais inconscientes. Noutros termos, no projeto a finalidade está no plano aéreo do sentido, e a sua primazia é evidente. Enquanto que no capricho ela é um elemento entre outros, e não paira acima da natureza: as finalidades cansam e são perecíveis como tudo mais, e se elas vivem é precariamente e graças a um esforço que nada tem a ver com o sentido em questão, ou melhor, tem a ver com formas de sentido mais elementares. A saliência ideológico-formal do capricho — o seu momento mais expressivo em *Iaiá Garcia* é o rápido esquecimento de um amor intenso e de muitos anos — sublinha aspectos que a civilização burguesa, apoiada na regularidade do trabalho, na propriedade privada, na continuidade da pessoa jurídica, no casamento, na ética da responsabilidade, nas finalidades conscientes etc., procura conter e relegar. Acontece que em presença de tais aspectos as linhas do panorama romanesco se alteram: a unidade da pessoa e a coerência dos atos fazem figura de caso particular, e coexistem com forças que lhes são contrárias. O capricho, como a palavra indica em sua acepção pejorativa, é da ordem de movimentos a que a firmeza dos propósitos, indispensável à racionalidade da ação individual, deve pôr um freio. Neste sentido, ele pertence ao subsolo conflitivo da razão burguesa. Retomando nosso argumento, quando encontrava uma solução possível para o realismo brasileiro, Machado abandonava a fórmula consagrada do Realismo europeu, e com ela o domínio da racionalidade convencional.[116]

Embora seja um mau livro, *Iaiá Garcia* está no terreno da grande literatura moderna, num sentido em que talvez nenhum outro romance brasileiro, salvo os posteriores de Machado, esteja. Ao colocar o arbitrário no centro de sua construção, Machado entrava pelo campo da descontinuidade, da contingência, do inconcluso, do esperdiçado, do irremido etc. Renunciava à consolação dos mitos providencialistas, bem como ao otimismo difuso que é o seu sucedâneo laico, e mesmo à sua sublimação literária disfarçada, a justiça poética. *A forma que Machado elabora não faz do sentido da vida um artigo de fé.* Daí a gravidade absoluta que às vezes emana destas histórias tão banais. A questão preocupava Machado explicitamente, como se vê no comentário seguinte: "Intolerável é a dor que não deixa sequer o direito de arguir a fortuna. O mais duro dos sacrifícios é o que não tem as consolações da consciência. Essa dor padecia-a Jorge".[117] Noutras palavras, a dor que não encontra compensações simbó-

---

[116] A filosofia do inconsciente estava de moda na época, e é certo que influiu sobre Machado. É interessante notar, contudo, que ele a incorpora em espírito racionalista, e que ela vem se enxertar num esforço muito considerável de análise social.

[117] *Iaiá Garcia*, p. 321.

licas — na má fortuna ou no mérito próprio — dói mais, e sobretudo faz parte de uma paisagem de que o anjo da guarda emigrou (a despeito da linguagem sentenciosa, o leitor note ainda a familiaridade meditada com o desespero, expressa na capacidade de diferençar entre as suas formas). Algo de semelhante, em direção oposta: Jorge frequentara a casa de Luís Garcia com pensamentos inconfessáveis, mas em dado momento o seu interesse por Estela arrefece, e nem ele nem ninguém saberia dizer em que ponto estão as suas intenções. "Nenhuma preocupação lhe ensombrava a fronte risonha e plácida. Dir-se-ia que, após longa e trabalhosa jornada, vingara o cume das delícias humanas."[118] Observe-se que esta plenitude não corresponde a fatos novos, e se é que acompanha alguma coisa, acompanha o esquecimento. Jorge está na força dos anos, mas esta não é o coroamento de coisa alguma. A plenitude pode não decorrer do mérito, o sofrimento pode não ter as consolações da consciência, a harmonia preestabelecida desapareceu, e com ela a certeza da integridade do sentido. O salto literário e sobretudo intelectual é grande. Sem prejuízo do decoro resignado, Machado assumia a lucidez sombria do verdadeiro ateu, e a estendia à consideração do cotidiano, cujos dispositivos mitológicos ela desarticula. São primeiros passos já muito consideráveis, embora literariamente frustros, na direção pessimista e dissonante que será central para a arte moderna, direção que ainda hoje não se esgotou, como se pode ver em Beckett, e que paradoxalmente está em continuidade com o trabalho antimitológico da *Aufklaerung*.[119] Nesta linha, *Iaiá Garcia*

---

[118] *Idem*, p. 348.

[119] Sobre o significado social e estético da feiura (e de Beckett) na arte moderna, ver Th. W. Adorno, *Aesthetische Theorie*, Frankfurt/M., 1970. Para uma

está repleta de observações que repugnam ao coração bem formado. São as coisas de que Machado sabe, e que fazem que, ao lado dele, outros escritores, mesmo bons, e não só brasileiros, pareçam crianças. Assim, por exemplo, o curso da narrativa nos dirá que entre duas criaturas perfeitamente estimáveis, como Estela e Iaiá, a antipatia pode ser definitiva. — Que a morte de um homem bom pode não concluir nem resolver nada: "A morte de Luís Garcia foi uma complicação mais".[120] — Que mesmo dentro da baixeza mais completa, a consciência procura se embelezar aos próprios olhos. É o caso de Procópio Dias, quando em desespero de causa diz a Iaiá que o noivo Jorge na verdade queria a madrasta, e quem sabe pensasse em "amarrar as duas": "Se alguma coisa pudesse atenuar a perversidade de semelhante recurso, era a persuasão que ele tinha de que diria a verdade".[121] — Que as acusações mais graves podem ser forradas de curiosidade e gozo: "Durante uma pausa relativamente longa, Iaiá não tirou os olhos da madrasta. Essas duas lâmpadas buscavam examinar-lhe, no momento supremo, todos os recantos da consciência e todos os atalhos do passado. Não disse nada, para melhor gozar do abalo que acabava de produzir em Estela".[122] — Que a força suficiente para abafar o amor pode não ser suficiente para abafar o ciúme: Estela não cede a Jorge, mas tem ciúmes de Iaiá, e é obrigada a constatar que renúncia e firmeza nem sempre têm prêmio nem trazem a paz de espírito. — Que a carreira social

---

posição contrária a esta, G. Lukács, *Gegenwartsbedeutung des kritischen Realismus*, Werke, vol. IV.

[120] *Iaiá Garcia*, p. 395.

[121] *Idem*, p. 391.

[122] *Idem*, p. 399.

começa cedo: Iaiá aos doze anos percebe a chave do caráter de Valéria, "e abriu a porta sem grande esforço".[123] — Que a confusão entre os amores filial e marital é grande, o que hoje, depois da divulgação da psicanálise, naturalmente não espanta mais ninguém. Etc., etc., ao que se acrescentam ainda o desencontro sistemático dos motivos, que atravessa o livro inteiro, e as perdas de tensão que analisamos atrás.

No plano das formas, esta atitude se expressa numa regra, segundo a qual em *Iaiá Garcia* fica proibido ao movimento se completar. A começar pelo enredo, em que a descontinuidade é um dado da própria história, composta de arbitrário, hesitações, frustrações e inconstâncias. Noutros momentos todavia, em que não decorre do assunto, a descontinuidade assume feição deliberada, às vezes a ponto de se tornar ela mesma um preconceito. Na série excessiva dos mal-entendidos, por exemplo, a desarmonia se transforma em tese, e pressentimos o aspecto filosofante que aqui e ali irá atenuar — e não aprofundar! — o pessimismo da segunda fase. Seja como for, esta norma prepara a segmentação extrema da matéria, das unidades narrativas e até da frase, que irá caracterizar as *Memórias póstumas* e os romances seguintes. Assim, a segunda parte do livro não continua propriamente a primeira, as razões das personagens não correspondem entre si, os capítulos não se continuam uns aos outros, nem têm unidade em si mesmos, pois são compostos de episódios díspares, cujas personagens e cujos centros de interesse não são os mesmos. Este movimento poderia ser chamado também de desdramatização, pois tudo se liga, mas não pela ação principal, que por sua vez é soltíssima, e não vai em nenhuma direção particular. Com a petulância de menos, estamos próximos do movimento digressivo

---

[123] *Idem*, p. 330.

da crônica, que mais adiante iria dar brio a esta deriva. Ocorre porém que ao cortar o voo a personagens e conflitos, Machado lhes retirava também o atrativo espontâneo. Embora pelas situações *Iaiá Garcia* pertença à esfera do romance para moças, o seu enredo descontínuo e difuso não propicia a identificação romanesca nem satisfaz a sonho algum, salvo o de não sonhar, e aliás nem este, pois a norma de decoro corta o ímpeto crítico até às interrupções. Já na segunda fase, em que a mediocridade das figuras será igualmente a regra, ela será compensada pela extraordinária liberdade e mobilidade humorística da reflexão do narrador, apoiada no famoso e confessado exemplo de Sterne. Para nosso argumento, porém, note-se que a descontinuidade em *Iaiá Garcia* é ligada às particularidades de sua matéria histórica, e não é engraçada. Ela precede a incorporação das fórmulas do humorismo inglês. Neste mesmo sentido, a supressão metódica do movimento romanesco é fruto de observação local e é um avanço realista de Machado, que no entanto o aproxima da autocrítica formal característica da literatura de vanguarda, em que se explicitam pressupostos gerais da ordem burguesa. Um exemplo mais da convergência entre atraso social e formas artísticas avançadas.

Embora se propale o contrário, a narrativa linear não é característica do romance pré-moderno. Desde os inícios do gênero, este dispunha do retrospecto, da antecipação, do episódio intercalado, dos adiamentos, da intervenção do narrador etc., recursos que aliás herdava da epopeia e que lhe permitiam entretecer os destinos individuais e a totalidade social numa ação mais ampla.[124] Em *Iaiá Garcia* estes recursos são muito usados, para ex-

---

[124] Para uma boa síntese da questão ver G. Lukács, "Le Roman", *in Écrits de Moscou*, Paris, Sociales, 1974. Sobre os recursos narrativos da epopeia, o primeiro capítulo de E. Auerbach, *Mimesis*, Berna, A. Francke Verlag, 1945.

por a ação, como é comum, mas também para abafá-la, o que é inesperado. Observe-se a maneira pela qual a narrativa nos aproxima do conflito central. — Nas linhas iniciais do livro, Luís Garcia recebe um bilhete de Valéria, pedindo que passe em casa dela. Ele responde que sim. A narrativa corta em seguida, e daí ao fim do capítulo passarão diante de nossos olhos os retratos detalhados do próprio Luís Garcia, de sua casa modesta, do criado Raimundo, da filha Iaiá, tudo entremeado de anedotas e *flash-backs*, em que se ilustra a vida desta família. A ação retoma com o capítulo II, em que Luís Garcia vai à casa de Valéria. Depois de alguma sondagem recíproca, a viúva sai com o seu pedido, que desloca a relação que vinha se esboçando: a presença do funcionário é uma contingência, o verdadeiro conflito está entre Valéria e seu filho, e a linha que vínhamos seguindo não era a principal. Luís Garcia cede à viúva e fala a Jorge, que lhe explica as razões da mãe e as suas próprias. Novamente desloca-se o conflito, que não está entre mãe e filho como se supunha, mas entre o rapaz e uma moça que não quer saber dele, e que ainda não conhecemos. Assim, quando Jorge em seguida cede às instâncias de Valéria e se alista como voluntário, a sua decisão não decorre da vontade dela, que não é decisiva, mas da indiferença de Estela (a qual não pedia nada, o que no entanto não a impediria de respirar de alívio com a partida do rapaz). Noutras palavras, a decisão de Jorge responde aos conflitos, mas em linha quebrada, que não lhes continua nem conclui nenhuma impulsão espontânea. Com mais precisão, ela atende diretamente a uma pressão que não a determina, e só indiretamente ao problema que a suscitou. Capítulo terceiro, o moço vem à casa de Luís Garcia para as despedidas, e quer deixar nele um confidente. Uma ideia algo forçada, pois o escolhido não fora um aliado. E de fato o funcionário, que já é frio de natural, está contrafeito com o papel que tivera no episódio, de modo que seu gesto é "singularmente preocupado e duro",[125] o que trava a confissão, com a qual se perde outra espécie ainda de plenitude. Jorge lhe pede um abraço, Luís Garcia lhe oferece a mão (desencontro que tem uma réplica no capítulo seguinte, quando Jorge aperta a mão ao Sr. Antunes, que entretanto quer a honra de um abraço. Na aflição da despedida, o moço confunde pai e filha, e aperta "fortemente ao peito"[126] o agregado, que fica comovido com a expansão. Esta naturalmente era um engano). Saindo da casa de Luís Garcia, Jorge dirige-se a passo trêmulo em direção da rua de Dona Luisa. A meio caminho pensa em mudar de direção, mas prossegue, e enfim para diante de uma casa. É a ação principal que se anuncia. Antes de entrarmos, novo corte, e veremos a história de seus moradores, numa longa volta atrás (por sua vez recortada de mal-entendidos): o caráter de Antunes, de Estela, as suas relações com a família Gomes, o episódio do beijo na Tijuca, as providências de Valéria para casar Jorge a uma parenta rica, e depois para mandá-lo ao Paraguai. E quando enfim chegamos ao conflito principal, com o capítulo IV, este é introduzido por considerações sobre as visitas anteriores que Jorge fizera à mesma casa, sobre a linha de comportamento que ele escolhera para se reabilitar aos olhos de Estela, bem como sobre a permanente frieza da moça, que levara o rapaz a vestir a farda militar. Para completar a série, o Sr. Antunes sai para procurar charutos, com a intenção evidente de "ajudar a natureza"[127] e facilitar a entrevista entre Estela e Jorge, o que mais mortifica a filha. É um contexto saturado de impedimentos e de anticlímax, em que o rapaz entretanto faz a sua breve declaração, que é recusada com mais brevidade ainda: "O

---

[125] *Iaiá Garcia*, p. 311.
[126] *Idem*, p. 321.
[127] *Idem*, p. 319.

senhor é um tonto". Passado este curto momento, note o leitor que não haverá mais no livro atualidade em sentido eminente. Jorge parte, e o restante da narrativa, que é a quase totalidade, terá caráter de tempo de espera, preenchido por acontecimentos por definição secundários. Com mais razão a parte final, em que Jorge esquece, estará neste mesmo plano do indiferente.

Antes de passarmos à interpretação, note-se que a escolha e disposição dos conflitos do livro obedece a intenções semelhantes. A decisão mais dura do romance, que nada virá abalar, foi tomada antes que ele começasse, e é mencionada em poucas linhas: a agregada não cede ao filho de sua protetora. "Nunca! jurou ela a si mesma."[128] Mesmo a cena do beijo forçado não tem plenitude dramática, justamente porque a decisão negativa de Estela já estava tomada, e é o contexto de tudo o mais. Segundo o seu próprio critério, a narrativa se passa numa fase de intensidades menores, e seu momento forte está fora dela. Analogamente, se examinarmos os três momentos cruciais da história, veremos que em si mesmos eles são antidramáticos. A começar pela decisão de Estela, que não só precede o tempo presente do romance, como não chega a ser propriamente um acontecimento, pois foi tomada a sós, em seu foro interior e sem mais exteriorização, além de ser uma decisão negativa, que corta o movimento em lugar de o ampliar. A cena do beijo, por sua vez, além de não ser dramática da parte de Estela, pela razão que já vimos, não é propriamente dramática também do lado de Jorge, que perdera a cabeça e logo em seguida já estava se retratando. Uma culminação que na verdade é um deslize. Quanto à modificação do sentimento de Jorge no final, "entre duas xícaras de chá", ela é inconsciente, e seu aspecto mais notável é justamente a ausência de qualquer conflito.

---

[128] *Idem*, p. 315.

Iaiá Garcia

Recusa, compulsão, inconsciência, os três momentos são de essência não dramática — se o próprio do lance dramático for a confluência da intenção consciente, do impulso profundo e das circunstâncias objetivas, através das quais o indivíduo se procura e tenta se afirmar (uma acepção em que fica clara a ligação entre a forma dramática e o individualismo, razão pela qual Brecht iria lhe opor o seu teatro épico).[129] Nesta mesma direção, note-se enfim que nunca o essencial é dito entre as personagens. Assim como não fala a Luís Garcia ("a palavra não se atrevia a sair do coração"),[130] Jorge não falará à sua mãe, a Estela e a Iaiá, entre as quais tampouco haverá explicações sem reserva. Os poucos transbordamentos sérios do livro são solitários: Estela sofrendo no quarto, de cabeleira desfeita, o que a transforma em heroína romântica,[131] ou Jorge odiando a mãe à distância, no Paraguai, quando sabe do casamento de Estela e Luís.[132] Já as explosões de Iaiá não são solitárias, mas não têm gravidade, porque são de criança, ao passo que as confissões lascivas de Procópio Dias têm estatuto de aberração, razão pela qual não são levadas a sério. Na cena do beijo roubado, que naturalmente envolve duas pessoas, o transbordamento é inteiramente unilateral. Idem para a cena da despedida, em que Jorge arrisca a sua declaração de amor, embora esteja batido de antemão. Noutras palavras, em *Iaiá Garcia* pesa um veto sobre toda forma de comunicação mais envolvente, ao que correspondem, nos momentos de explicação entre

---

[129] Sobre a importância destas oposições para a literatura moderna, ver A. Rosenfeld, *O teatro épico*, São Paulo, Companhia Editora Nacional, 1965, e "Reflexões sobre o romance moderno", *in Texto/Contexto*, São Paulo, Perspectiva, 1969.

[130] *Iaiá Garcia*, p. 311.

[131] *Idem*, p. 398.

[132] *Idem*, p. 326.

as personagens, os invariáveis olhos baixos de uma das partes, que cala, resiste, se esquiva ou dissimula, sem que haja nunca afrontamento. Uma disposição taciturna que é ainda uma forma de descontinuidade.

Vista no conjunto, esta exemplificação pede vários comentários. O leitor note a consistência, o engenho, a variedade, que são já impressionantes. Quanto à multiplicação das descontinuidades, está claro que ela em parte é exigência da matéria, e em parte preferência do narrador. Nada o obriga a nos induzir em erro, a indicar como principal uma linha que será secundária, a cortar uma ação em seu ponto interessante, para em seguida ainda lhe desmanchar o *suspense* etc. Digamos que ele assimila e transforma em regra subjetiva — e portanto em elemento formal — o momento de arbitrário que é parte de seu assunto, para infligi--lo ao leitor. Entretanto há duas coisas em *Iaiá Garcia* que o arbitrário e o tempo não afetam ("É duro ouvir, minha filha, mas não há nada eterno neste mundo; nada, nada",[133] exclama Estela perto do final): uma é a inquestionável autoridade do narrador. Este portanto pratica o arbitrário dentro da gravidade perfeita — uma pretensão que é o defeito capital do livro. A segunda é a firmeza de Estela, que no entanto, como veremos, a evolução do quadro qualifica um pouco. As duas coisas estão ligadas, e desaparecerão juntas: na segunda fase machadiana não haverá personagem puramente positiva, nem as certezas dogmáticas a que esta se prende. O arbitrário do narrador estará assumido, e posto em primeiro plano descarado, enquanto a sua autoridade e a intenção de justificar se tornam fatores de derrisão.

Voltando a nossos exemplos, é certo que a despeito da variedade dos âmbitos eles têm um movimento em comum, que

---

[133] *Idem*, p. 402.

resume a posição de *Iaiá Garcia*. Se poderia chamá-lo a fuga à atualidade do conflito. Este último é posto como passado, secundário, infantil, aberrante, ou esquivado. No plano da composição dramática isto é evidente e ocorre também na condução da narrativa. O leitor terá notado na interrupção tornada lei que ela tem efeitos contraditórios, um de armar a expectativa, outro de a desmanchar. Quando nos leva a deixar uma linha de ação pela seguinte, e esta por uma terceira, o narrador não só deixa sem conclusão os conflitos que propusera, o que é uma decepção, como os desvaloriza. Entretanto, seu movimento é parte também de um *crescendo*, em que a cada transição parece que passamos do acessório ao principal: diminuir ou interromper, mas para aumentar a tensão. Ocorre que o conflito central será tratado, também ele, com parcimônia e a contracorrente, pois demorar-se em sua atualidade ou elevá-lo seria faltar ao decoro (duas vezes, uma esmiuçando o arbitrário da autoridade, outra dando a renúncia em espetáculo). Esta decepção ligada à linha-mestra da narrativa é naturalmente a maior de todas, e transforma em logro o curso ascensional precedente, além de estabelecer um modelo em que o limite do movimento é um teto ideológico. Acresce que este ciclo, que no plano da intriga se completa cedo, e subordina a parte restante do livro ao seu regime de frustração, era ele também infundado, pois o momento da decisão propriamente dita pertence à pré-história do romance. Isso posto nada impede que as expectativas retomem sempre, no plano da narração, dos objetivos contraditórios e dos caracteres, mas sem avolumarem. Agitam-se numa faixa de intensidades diminuídas, por assim dizer escaldadas. Estranho processo, em que tudo se trunca, até o gosto de concluir: a repetição das interrupções, e sobretudo das retomadas, salienta o despropósito deste movimento, ao qual a razão não se conforma, e que pede tratamento diverso (a solução cômica seria a mais evidente), em que a futilidade do *suspense* se explicitasse. Um ponto de vista ao qual Machado por agora não se resolve. Com efeito, diretamente ou por contiguidade, atrás dos dinamismos dramáticos encontram-se aspirações à realização individual, que sem serem nunca afirmadas como um direito, são não obstante a referência que em *Iaiá Garcia* permite a dignificação dos dependentes e a crítica *moderna* do arbitrário paternalista.[134] Não interessava a Machado desqualificá-las, e muito menos suprimi-las, como tampouco interessava apresentar a ideologia burguesa do indivíduo em suas versões enfáticas e prestigiosas (para nós de segundo grau), de cujo ridículo e falsidade ele estava convencido. Um impasse delicado, como se vê, em que se equilibram a crítica e a posição defensiva, e cuja exigência estética é de descaracterização: reduzida a estado tácito, não sendo sequer a aspiração das personagens, a expansão não tolhida das faculdades individuais está presente apesar de tudo, enquanto medida da renúncia, e faz parte do horizonte do livro. Em suma, os conflitos não se declaram e não se suprimem, donde o clima geral de constrangimento, que expressa as duas lealdades de *Iaiá Garcia* às esferas paternalista e do individualismo burguês e o sacrifício que fazem uma à outra.

Mais precisamente, observe-se que a descontinuidade está sempre considerada enquanto *frustração* do movimento. Ora, este é o ângulo dos dependentes, que discretamente alimentados de Direitos do Homem veem nela o resultado da arbitrariedade impune. Seus protetores lhes truncam as aspirações, além de se per-

---

[134] "A dissolução da sociedade feudal e estamental abriu aos homens a esfera da individualidade, ao mesmo tempo que a transformava em sua tarefa." G. Lukács, "Lob des Neunzehnten Jahrhunderts", *in Probleme des Realismus* I, Werke, vol. IV, p. 662. Não vínhamos do mundo feudal, mas quem não gostaria de ser um indivíduo moderno?

derem eles mesmos em caprichos. Daí à conclusão de que nada neste mundo se completa é um passo, dado no plano formal, pela generalização das interrupções. Entretanto, é claro que do ponto de vista de seus protetores a descontinuidade se poderia ver com mais benevolência. Aonde o mal em trocar de amores ou ceder ao capricho? Por que o arbitrário (naturalmente com outra denominação mais simpática) não teria os seus ciclos próprios e completos, as suas satisfações, e ainda assim o seu sentido? Esses ritmos, que serão a especialidade do segundo Machado, por agora não acediam à forma. Tecnicamente, porque o andamento interrompido da narrativa não deixa: o acento na interrupção faz que descontinuidade e amputação do sentido sejam uma e a mesma coisa. Ideologicamente, porque a força analítica e moral está ligada ao ponto de vista dos dependentes, e se inspira do sentimento burguês do indivíduo. Assim digamos que ao nível da matéria a descontinuidade nos havia aparecido por dois prismas, uma vez enquanto imposição sofrida pelos dependentes, outra enquanto folga subjetiva dos ricos. Ao passo que agora, a nível formal, o ponto de vista dos dependentes domina e se absolutiza. Já comentamos longamente os dividendos literários e críticos desta perspectiva de classe. Entretanto ela tem também a desvantagem de ser acanhada. A primazia da interrupção transcreve em linguagem formal a frustração dos dependentes (aí a sua componente crítica), mas também a percepção limitada do processo social ligada à fraqueza de sua posição. Implicitamente ela faz da continuidade o critério do sentido, o que de um modo geral é moralismo burguês, e em nosso caso particular é o mesmo que situar o paternalismo, com a sua parte de arbitrário, no domínio do despropositado, além de lhe ocultar a unidade do ciclo (aí a componente acanhada). Ainda uma vez entretanto é preciso ver o aspecto oportuno e realista, pois é claro que nossos ricos tinham de se medir eles também por esta medida, que era parte inseparável de seu universo, e lhes atestava a modernidade tanto quanto o despropósito. Por este lado, o critério tinha cabimento. No essencial todavia a imposição da forma descontínua e do metro da continuidade impedia o ciclo paternalista de completar o seu movimento e a sua figura. Este era um movimento real, a que naturalmente não faltava sentido, um sentido que para a parte fraca não é glorioso. Na relação entre ricos e dependentes, diversamente do exemplo clássico, a classe totalizante é a primeira. Só depois de virar casaca Machado abarcaria o conjunto deste processo.

Os termos de nossa descrição, tais como descontinuidade, frustração, tensão perdida, indicam que as formas mais pronunciadas de *Iaiá Garcia* são negativas. A tese é de que nada se completa, o que vale sobretudo para as aspirações individuais. Com o desapego a mais, é a conclusão das *Memórias póstumas*, que terminam pelo capítulo "Das negativas": "Não alcancei a celebridade [...], não fui ministro, não fui califa, não conheci o casamento".[135] Seu modelo, a meio caminho entre matéria e forma, está no antagonismo ideológico que se dissipa nas idas e vindas do favor, com destaque para o momento da dissolução, que é também o momento da descontinuidade. É claro, por outro lado, que este acento deixa na sombra o que nos termos do próprio romance representa o movimento da realidade, o movimento que se processa ao longo e através das inúmeras frustrações. Qual a forma deste movimento? Mais exatamente, o não neste livro vem forrado de um sim, e dado o quadro de decoro paternalista a descontinuidade comporta um momento de respeito e submissão, cuja saliência formal é menor, embora seu peso material seja talvez maior. A falta de sentido não deixa de ter sentido, para um ponto de vista que por enquanto não está com a palavra. Assim,

---

[135] *Obra completa*, vol. I, p. 549.

além do primeiro há um segundo plano, discreto mas numeroso, indiferente à normatividade buscada em *Iaiá Garcia*, e normativo ele também. É matéria menos trabalhada, em parte por decoro, em parte devido à própria empostação formal e de classe do romance, em parte porque Machado ainda procurava a maneira a ordenar. Se no primeiro plano a nota realista está na severidade da desilusão que é paradoxalmente o elemento moralista e apologético do livro, no segundo, igualmente moralista e apologético, mas noutro gênero, ela está na disposição de aproveitar e elaborar as sugestões do assunto, em que a ideologia mais cediça convive com elaborações verdadeiramente audaciosas.

Quando volta do Paraguai e faz a sua primeira visita à casa de Luís Garcia, Jorge explica a si mesmo que é por obrigação de família, embora sinta o alvoroço de ver Estela. Do mesmo modo, a insistência de Valéria para que ele se aliste é santificada pelo amor de mãe, embora o motivo no caso fosse a arrogância social. O casamento de Estela por sua vez será santificado pelos obséquios familiares que ela e Luís Garcia devem a Valéria, embora a razão da viúva fosse de consolidar a ruptura entre a agregada e seu filho. Etc., etc. Noutras palavras, em *Iaiá Garcia* as finalidades de toda ordem parecem inaceitáveis enquanto não beneficiam da mediação do motivo familiar, entendida esta na acepção extensa, ligada ao obséquio paternalista. E, inversamente, uma vez que é contrário ao decoro duvidar de tais motivos, estes acobertam finalidades de toda espécie, donde a mescla de baixeza e unção, tão característica deste livro, e tão cara ao humorismo do Machado ulterior. Aliás no romance inteiro não se dá praticamente um passo que não esteja entrelaçado com o círculo das obrigações familiares. Para nosso argumento, note-se que esta ubiquidade e constância da mediação paternalista é o avesso sistemático da descontinuidade da ação e da narrativa, e que se em primeiro plano em *Iaiá Garcia* nada se completa, esta é a maneira mesma de o processo paternalista se completar, aquém da forma ostensiva do livro. Digamos que este é unificado pela abdicação e reabsorção do indivíduo na trama de suas obrigações, e não pela sua iniciativa, que, entretanto, é a dimensão a que se refere a forma. Veja-se a este propósito que em seu momento inicial as vinculações estão sempre sob a tutela de mais outra relação, com um terceiro, que representa família e decoro. Estela vem para a casa de Valéria enquanto filha de um protegido, e Jorge a conhece na condição de agregada à sua família. Luís Garcia entra no romance enquanto protegido do falecido Comendador, em cuja casa verá Estela, que nesta altura é protegida de Valéria, a qual dera um dote à moça e daria outro à filha do funcionário. Quando, enfim, Jorge passa a frequentar a casa de Luís, é enquanto filho da senhora a que este devia grandes benefícios. Mesmo Procópio Dias é uma exceção só em parte, pois a sua amizade com Jorge vem do Paraguai, onde a guerra patriótica afiançava o decoro geral. Em certo sentido são todos sempre *filhos*, e nunca alguém age por conta própria, como quem esteja sozinho. Esta disposição é naturalmente contrária à declaração dos conflitos, e é mais um elemento antidramático do livro. Em parte é decorrência do assunto, e em parte é preferência do autor, que em se tratando de famílias ricas lhes mata o pai e chefe antes do início da intriga (Cons. Vale em *Helena*, Desembargador Gomes em *Iaiá Garcia*), para ficar com a viúva, a irmã, os filhos, os dependentes, ou seja, a esfera da subordinação. Adultério, mulheres de vida "fácil", filhos naturais, negócios e vida política figuram somente no horizonte, enquanto herança do finado: as tropelias do poder desimpedido são o aspecto do paternalismo que por decoro convinha não tratar. Assim, dentro do círculo que Machado traçava, as aspirações como os indivíduos não têm existência independente, separação que entretanto é um dos pressupostos da forma do Realismo europeu. O vínculo paternalista a todo momento se faz sentir, limitação que está formalizada negativamente no andamento interrompido que analisamos atrás. Entretanto, a tônica negativa disfarça a regularidade da interferência e sua valorização positiva, que são elementos estabilizados e constantes da ideologia e do assunto de *Iaiá Garcia*. O vaivém entre aspirações individuais e obrigações familiares, finalidades do mundo moderno e motivos paternalistas, é um dado da organização da matéria, que se opõe à forma dominante do livro e que restava apurar. As relações possíveis entre estes termos são muitas, e o sacrifício recíproco não é senão uma delas. Já vimos outras. Por exemplo, as aspirações cortadas são, também, serviços prestados, a que não faltam reconhecimento e compensação. Por que não sublinhar e seguir este aspecto do processo? E, sobretudo, a mediação familiar não funciona só como constrangimento, mas também como liberdade, ou melhor, como licença, pois sendo inatacável, fazia com que tudo fosse permitido, mesmo o inadmissível. Uma conjuntura em que certamente algo se realizava, embora não fosse o sujeito imaginado na ideologia individualista. Estas alternâncias são dados da matéria de *Iaiá Garcia*. Para formalizá-las faltava reconhecer os proveitos que os dependentes tiram de sua subordinação, e o caráter indecoroso das relações cujo decoro Machado queria ressalvar.

Se pensarmos na delimitação e empostação dos conflitos, relativamente ao assunto de que são parte, o movimento é semelhante. A intriga ligada à inconsistência individual é uma forma crítica — a intenção de Jorge que se perde com o tempo não realiza mito algum — mas não circunscreve a esfera do romance, cujos limites são conformistas, traçados pela ideologia do decoro familiar. Para apreciar o efeito literário desta última, o melhor é buscar a sua antítese. O agregado Antunes é escrevente e homem de confiança do falecido Desembargador. É mestre no elogio hiperbólico e no silêncio oportuno, dá recados eleitorais, é confidente de empresas amorosas, ajuda nas compras domésticas, come à mesa nos dias comuns, mas não quando há visitas, e é filador de charutos. Quando percebe que alguma coisa se passa entre Estela e o filho do Desembargador, sai da sala para ajudar a natureza. Desfeita esta sua esperança, volta-se para a loteria. Consola-se igualmente frequentando as sessões do júri, as galerias da Câmara dos Deputados e os bancos do Carceler. Sonha com grandezas e pessoas gradas, não gosta de seus iguais, e seu comportamento é sempre subalterno. Lê repetidas vezes e com delícia o bilhete em que Valéria lhe diz que passe em casa dela. Sente a tentação de mostrá-lo ao vizinho, e na rua "separou-se de um importuno dizendo enfaticamente onde ia".[136] Como se vê, são relações numerosas e várias, que fazem de Antunes uma boa figura, ao menos virtualmente, já que sua personagem não vai além de uma ponta. O leitor entretanto note que esta variedade em *Iaiá Garcia* é uma exceção. De um modo geral, há o cuidado de aparar as personagens e reduzi-las ao perfil que têm na esfera familiar. Um critério seletivo que se prende a noções de elevação e dignidade que dominam o conjunto da primeira fase, e que são temáticas no *retraimento* das personagens estimáveis, que querem viver longe do inessencial, do anedótico e da baixeza (isto é, longe da vida econômica, política, mundana, e da sexualidade extraconjugal). A elevação e os conflitos dignos de literatura existem somente no interior do círculo familiar. Assim, Luís Garcia é funcionário, Estela será professora e assalariada, Jorge faz vida de rapaz, Procópio Dias é negocista, o Desembargador era político, mas o romance não os trata nesta qualidade, e sim na de pai, filha, noiva, pretendente, protegida etc. A estreiteza ligada a este prisma e à decorrente distribuição das matérias

---

[136] *Iaiá Garcia*, pp. 311-2, 320, 328, 407.

é evidente. No plano da filiação ideológica e literária, tratava-se da oposição a Realismo e Naturalismo, a cujas vulgaridades materialistas a reação europeia desejava opor uma outra visão do homem, mais espiritual. Este o aspecto dominante, que é preciso assinalar em primeiro lugar, antes de entrar nas nuanças, que também existem.

Com efeito, a recusa dos determinismos "baixos" comportava, além da finalidade hipócrita, e sem contradição com ela, a procura de uma explicação diferente, procura que não ficou sem resultado. Assim, por decoro Machado não trazia ao primeiro plano nem tratava nuamente o movimento das fortunas e das classes sociais. Preferia tratá-las como elemento da imaginação individual, o que anula o movimento objetivo da sociedade, *mas metodiza a consideração de sua existência e eficácia no plano simbólico*. Em consequência, a despeito do propósito panorâmico e das referências históricas, faltam em *Iaiá Garcia* os grandes ritmos da transformação social, cujo contorno só o movimento da propriedade e das classes desenha. Mas é certo também que aparecem formas de causalidade mais complexa: a inserção social do indivíduo é um fato imaginário tanto quanto prático-material; os apetites nos dois planos podem não conferir, e prestam-se a uma combinatória surpreendente. Na Europa, batizado de liberdade, este aspecto das coisas era valorizado no intuito de esfumar a definição dos interesses materiais, e confortava a direita em seu desprezo pelas necessidades elementares da massa. Mas nem por isto o aspecto deixava de ser real, e é interessante por isto mesmo. Com finalidade apologética, a direita descobria e explorava no processo social a parte das satisfações simbólicas (a noção de ideologia é outra coisa: refere-se às aparências objetivas do processo), que aos materialistas pareciam secundárias, mas cuja importância crítica com os anos só fez crescer. Daí uma intrincada comédia de erros, central para o movimento das ideias modernas, em que acontecia ao partido da apologética fazer crítica e ao partido da crítica social fazer mitologia, e que em literatura se poderia estudar na dialética de Simbolismo e Naturalismo. Uma ambiguidade que é sensível mesmo na obra de escritores máximos, como Baudelaire, Dostoiévski e Proust, em cujo horror às causas simples a direita inegavelmente se reconhece, embora o conhecimento justamente do social que têm estes escritores faça que, ao pé deles, os escritores "sociais" pareçam sair do jardim da infância.

Guardadas as proporções, vejamos exemplos. Jorge é um moço rico e elegante, e a sua queda pelo invulgar faz que goste de moças de origem modesta, a que não falte uma pitada de romanesco. Pelo mesmo motivo não se interessa por Eulália, a noiva que a mãe lhe destinava, e que socialmente é a mulher que lhe convém.[137] Também Procópio Dias é rico e gosta de uma moça pobre, mas as razões de seu sentimento são outras: "Possuí-la era fazer-lhe um favor".[138] Iaiá, sendo de família sem meios, aspira ao convívio dos ricos, mas Estela, que é muito mais pobre, não descansa enquanto não lhes escapa. "Eu era humilde e obscura, ele distinto e considerado. [...] Casamento entre nós era impossível [...] porque o consideraria uma espécie de favor, e eu tenho em grande respeito a minha própria condição."[139] Amando a Jorge, prefere casar com Luís Garcia, por quem sente apenas estima, que porém é seu igual. Valéria, que é orgulhosa, aprecia o mesmo sentimento na agregada, que conhece o seu lugar, razão pela qual a viúva a traz para junto de si, ao mesmo tempo que acha inaceitáveis os sentimentos de Jorge. Também Estela reco-

---

[137] *Idem*, pp. 313-4, 382.

[138] *Idem*, p. 362.

[139] *Idem*, p. 402.

nhece a delicadeza moral de Valéria,[140] ao passo que o Sr. Antunes acha que não se recusa "um moço tão bem-nascido".[141] Etc. Em suma, a diferença social está em toda parte, mas enquanto elemento dá vida imaginária, cuja contabilidade é governada pelas satisfações da autoestima, e não pela Economia Política. Assim, a riqueza pode ser uma vantagem e uma desvantagem, idem para a pobreza, e a ação não decorre diretamente da posição social. Esta última não se dá jamais em bruto, e sim no interior da imaginação da diferença, na qual ninguém é obrigado a se identificar com a própria posição, sobretudo se ela for inferior. Nada mais razoável que a identificação com o que nos falta, se estamos embaixo, ou a simpatia pelo olhar humilde, que nos reconhece, se estamos em cima, ou o desejo de espantar as nossas amizades, se somos ricos e estamos enfastiados. Etc., etc. Noutras palavras, Machado esboçava uma combinatória entre as posições sociais enquanto realidade prática e o campo social enquanto valor imaginário, uma combinatória cuja regra seriam as compensações simbólicas. Nesta perspectiva, a desigualdade social não é só um fator de antagonismo, mas também de coesão, pois a sua duplicação imaginária põe à disposição do inferior as imaginações da superioridade, que são o consolo de que ele precisa. Uma perspectiva que certamente é conservadora, o que entretanto diz pouco, pois ela tem o mérito de realçar e estudar as satisfações reais da desigualdade, as quais se opõem ao desejo de combatê-la, um resultado intelectual que seria absurdo chamar retrógrado. Observe o leitor que se trata de um quadro racional para explicar comportamentos que doutro ponto de vista são irracionais, e que mais que à desejada espiritualização dos motivos práticos, assis-

---

[140] *Idem*, p. 329.
[141] *Idem*, p. 406.

timos a uma metodização materialista da vida espiritual, o que é um exemplo da involuntária extensão da área do determinismo a que nos referíamos no parágrafo anterior. Mais adiante Machado iria integrar estas reflexões aos movimentos do favor e sobretudo da arbitrariedade, e os traria para o centro de sua literatura. Em *Iaiá Garcia*, são observações psicológicas esparsas.

Do ponto de vista da composição, trata-se de um princípio exigente, pois a ação não decorre só da circunstância imediata da personagem, o que seria a maneira mais desafogada de fabular, mas também e a todo momento da representação que ela se faz dos outros e do todo social. Sobretudo no caso de Estela e Luís Garcia, a reflexão sobre as posições própria e alheia é o fundamento de todos os atos. Primeira consequência a notar, a natureza problemática das ações não sai jamais de cena, o que numa literatura sem problemas como a nossa é de interesse. Note-se também a valorização literária da inteligência enquanto atividade normal das pessoas, que se orientam, se enganam, mas estão sempre pensando, e não passam a vida em sentimentos, como em literatura é comum. Daí a tentativa curiosa de individualizar a vida mental, a qual fará parte da feição das personagens. Saberemos por exemplo que Luís Garcia começa a ler quando já não é mais moço, sem grande método, mas com muito apetite, ajudado pelo hábito de reflexão do solitário. Jorge lhe empresta livros de sua biblioteca de bacharel abastado, a qual é um elemento na amizade entre os dois homens. "E porque era leitor de boa casta, dos que casam a reflexão à impressão, quando acabava a leitura recompunha o livro, incrustava-o por assim dizer no cérebro; embora sem rigoroso método, essa leitura retificou-lhe algumas ideias e completou outras, que só tinha por intuição."[142]

---

[142] *Idem*, pp. 346-7.

O leitor lembre que Luís Garcia não é homem de letras, e apreciará a poesia e força realista desta via de caracterização (desajudada pela prosa edificante). Quanto a Jorge, veremos que "sabia muita coisa do que aprendera; tinha a inteligência pronta, rápida compreensão e memória vivíssima. Não era profundo; abrangia mais do que penetrava. Sobretudo, era uma inteligência teórica; para ele o praxista representava o bárbaro. [...] A imaginação era o seu lado fraco, porque não a tinha criadora e límpida, mas vaga, tumultuosa e estéril".[143] De regresso do Paraguai, o rapaz pensa em dedicar-se aos trabalhos históricos, mas não tem a paciência necessária, o que é também um dado de sua organização mental: "O espírito sôfrego colhia só as primícias da ideia, que aliás entrevia apenas".[144] E, para terminar, um traço verdadeiramente de mestre: durante anos a fio Jorge havia admirado o comportamento impecável de Estela, o que não impede que na primeira ocasião ele a suspeite de baixeza, hipótese "que afinal acabou por não achar nenhuma repulsa na consciência dele".[145] Dando acolhida pronta a pensamentos "sem fundamento nem verossimilhança",[146] a sua figura sempre decente destila a familiaridade íntima com quaisquer golpes baixos, a qual aliás também se pressente em sua camaradagem com Procópio Dias. Uma variante mais do movimento que já assinalamos: a caracterização individual através de estilos da inteligência faz parte da empostação elevada e da oposição ao determinismo sórdido, mas o seu resultado é trazer a inteligência para a área do determinado e natural, e sondar áreas de sordidez com que o Naturalismo não sonha.

---

[143] *Idem*, p. 307.
[144] *Idem*, p. 337.
[145] *Idem*, p. 397.
[146] *Idem, ibidem*.

Sem forçar este confronto, que se tornará agudo só a partir das *Memórias póstumas*, cabem entretanto mais algumas observações. A referência permanente à vida pensada das personagens faz que a matéria-prima em *Iaiá Garcia* seja toda ela relacional, e nunca bruta. Aí a razão da famosa parcimônia de Machado em detalhes externos, que não faltam, mas não são nunca tratados fora de seu nexo vivo e problemático. Um princípio de economia narrativa que se opunha à prosa pitoresca do Romantismo, e também à "reprodução fotográfica e servil das coisas mínimas e ignóbeis", que na época Machado reprochava ao Naturalismo de Eça de Queirós,[147] reproche que no capítulo do detalhe escabroso não deixa de ter graça, vindo de quem vem. Entretanto, a primazia da dimensão relacional se opunha a outro aspecto ainda do movimento contemporâneo, que não a acumulação dos detalhes descritivos: não dava lugar às novas doutrinas científicas. De fato, se tudo é relação e reflexão sobre a relação, onde ficam os determinismos geográficos, hereditários, raciais etc.? A década de 70 é marcada pela vinda ao Brasil das teorias modernas, sociais e outras, e são os anos também em que Machado escrevia os seus primeiros romances. Tratava-se portanto de linhas em competição. O pouco entusiasmo científico de Machado terá parecido atrasado e mesquinho ao outro lado, e ainda hoje, quem não dará valor à renovação do pensamento brasileiro que então ocorria?[148] Mas o fato é que o primeiro efeito da nova ciência

---

[147] Machado de Assis, "Eça de Queiroz: *O primo Basílio*" (1878), *OC*, vol. III, p. 914.

[148] "Houve um certo grupo de românticos brasileiros que não tiveram a coragem de atirar fora a velha bagagem e tomar outra nova, entrando nesse renovamento do pensar nacional pela crítica, e começaram a se mostrar amuados, displicentes, irônicos, desgostosos, rebuscados, misteriosos e pessimistas. [...] Im-

foi a multiplicação das mitologias, bem mais agressivas que os preconceitos tradicionais que elas vinham sacudir. O que será melhor: o usual preconceito de cor, o racismo científico, ou o racismo científico no contexto do preconceito de cor? (Há um estudo engraçado a escrever sobre as ironias do Naturalismo brasileiro, entre as quais a caução que a ciência dava ao insulto de classe e ao preconceito. "Quem já o estudou [a Machado] à luz de seu meio social, da influência de sua educação, de sua psicologia, de sua hereditariedade não só física como étnica, mostrando a formação e a orientação normal de seu talento?" pergunta Sílvio Romero. Na resposta, lembra que o seu estudado é de família pobre, mulato, sem educação, cheio de receios, muito mediano e doente do sistema nervoso.)[149] Em contraste, Machado se atinha à lógica das situações dadas e dos caracteres. Esta leva a analisar os dados da vida em termos de relação, que são estritamente racionais. Dentro dos limites da respeitabilidade familiar, a que Machado por conveniência se prendia, digamos que em espírito o seu romance continuava o racionalismo literário do século anterior, no que diferia dos contemporâneos mais progressistas, que adotavam o cientificismo espalhafatoso e em boa parte irracionalista da decadência burguesa. O que não os impedia de serem

---

potentes já, pela idade, de tomar um partido definido entre as grandes correntes filosóficas que dividiam o século, materialismo, positivismo, evolucionismo, monismo transformístico e hartmannismo, ficaram a burilar frases com o ar enigmático de faquires, falando em nome de não sei que coisas ocultas que fingem saber./ Neste singular grupo o fecundo Machado de Assis como chefe de fila sentiu numa certa hora o desgosto que, em momento psicológico, se apoderou d'alma brasileira. Mas sentiu-o de leve." Sílvio Romero, *Machado de Assis*, Rio de Janeiro, José Olympio, 1936, p. 76.

[149] *Idem*, pp. 18-23.

grandes otimistas, ao passo que em Machado o clima da decadência está profundamente presente. Por outro lado, interessava aos dois partidos fazerem-se cooptar, e seria instrutivo ver-lhes a oposição por este ângulo.

Se examinamos a trajetória social das personagens, veremos que também ela não obedece às linhas de maior ênfase no romance. A crítica da arbitrariedade e a interrupção do movimento, que dão a tônica nos planos ideológico e formal, não parecem relevantes neste capítulo, o que é uma instância mais do excesso da matéria sobre a empostação do livro. Assim, contrariamente à impressão severa e misantrópica que temos de Luís Garcia, a sua carreira é normal e bem-sucedida. Embora prefira passar os domingos em casa, ele frequenta a casa de Valéria para "dar festas" à filha, que gosta de luxo.[150] Quando Jorge o visita, depois da guerra, a casa em que mora é nova e maior que a outra.[151] A visita é uma cortesia, à qual o funcionário é sensível, e quando Jorge diz que só não viera antes porque estava ausente, a explicação "era uma cortesia nova".[152] Mais adiante, Luís Garcia recebe ordens diretamente do ministro, que o chama à sua casa para lhe explicar durante várias horas uma incumbência que obrigava o funcionário a uma viagem inadiável — indicações que sugerem a importância acrescida do burocrata.[153] Quando por fim Jorge lhe pede a mão de Iaiá, completa-se a recuperação do pai. Este sabe que a filha terá "todas as vantagens sociais, ainda as mais sólidas, ainda as mais frívolas: — e esse homem obscuro, enfastiado e cé-

---

[150] *Iaiá Garcia*, p. 330.
[151] *Idem*, p. 341.
[152] *Idem*, p. 342.
[153] *Idem*, p. 351.

tico, saboreava a ventura que a filha iria achar no turbilhão das coisas, que ele não cobiçara nunca".[154]

Nas relações de Jorge e Procópio Dias, a mesma diluição dos limites, que no entanto pareciam intransponíveis. Do ponto de vista literário, as duas figuras pertencem a concepções diferentes: um é caracterizado pelos apetites materiais e o aspecto exterior (o brilhante escandaloso na gravata, a granada no dedo, a bengala de castão de ouro) e é saído da caricatura realista do ricaço depravado. Machado experimentava a mão no estilo que combatia. A feição do outro é sobretudo espiritual, e paira acima das questões materiais. Não que estas inexistam, pois também Jorge é elegante e rico, e tem apetites, mas não são eles que o definem. Atrás das duas formas estão duas teses incompatíveis sobre a realidade, o que faz que as personagens sejam apresentadas segundo critérios diferentes. Daí uma boa dose de inconsequência na prosa, que é dura com um e tolerante com outro. Por outro lado, embora a lógica literária os situe em mundos diferentes, é fato que Procópio Dias e Jorge andam juntos em *Iaiá Garcia*, o que reduz a oposição das filosofias a uma questão de oportunidade descritiva. O materialismo para o negociante inescrupuloso e lascivo, e o estilo elevado para o homem de família. Um arranjo que é absurdo, e que não obstante tem certa oportunidade histórica e dramática, pois configura o espanto da riqueza tradicional diante da mais nova, e o confronto entre as ideologias paternalista e individualista. Mesmo esta oposição entretanto se esfuma, pois se o traço de Procópio Dias é infame, Machado em seguida pinga os indícios de que Jorge, noutro registro, não é tão diferente, um procedimento aliás muito seu:

---

[154] *Idem*, p. 391.

"Pareciam satisfeitos um do outro".[155] E de fato a reação de Jorge diante do outro, desconfiada, mas também curiosa, e até um pouco admirativa, é uma das intenções mais finas do livro. No Paraguai, Procópio Dias havia assediado a "inexperiência" do amigo, cujas recomendações lhe valiam negociatas.[156] Reencontram-se no Rio por acaso, no jardim da casa da Tijuca. Procópio diz que está um pouco estragada, Jorge responde que muito, e o outro comenta que não compete ao proprietário fazer esta observação, porque prejudica o aluguel. Durante o almoço, Procópio diz ao amigo que este leva uma vida de bicho do mato, e o convida ao teatro. "Corruptor! disse Jorge sorrindo",[157] e deixa cair os seus projetos de estudo. Vão cear, e Jorge por desconfiança não come, porque não quer dever nada a semelhante homem. "Procópio Dias percebeu isso mesmo, mas não se molestou; abaixou a cabeça, deixou passar essa onda de desconfiança, e surgiu fora, a rir."[158] Mais adiante, Jorge e Procópio frequentam a casa de Luís Garcia. Procópio lhe pergunta qual das duas mulheres o leva lá. Jorge se formaliza, e diz que são relações de família. Procópio não acredita, e confessa de sua parte que é Iaiá quem o atrai. E prossegue: "dado que o senhor amasse a outra [a Estela], qual era o primeiro movimento do meu coração? Ligá-los ao meu interesse. Desde que entre os dois houvesse um segredo, e que esse segredo fosse descoberto ou suspeitado por mim, o senhor e ela eram os meus melhores aliados, e a resistência daquela menina, e a vontade do pai, tudo cedia em meu favor. [...] — Jorge

---

[155] *Idem*, p. 361.
[156] *Idem*, p. 339.
[157] *Idem*, p. 340.
[158] *Idem, ibidem.*

contemplou-o alguns instantes sem dizer palavra, ao parecer subjugado pelo raciocínio. Ouvira-o pasmado e satisfeito. Tanta franqueza não mostrava que Procópio Dias não suspeitava nada?".[159] Atrás do contraste dos estilos pessoais, que estas citações não refletem suficientemente, a intimidade. Sem ter a mesma "penetração e superioridade para ver e confessar os vícios da natureza humana",[160] Jorge não deixa também de fazer cálculos notáveis, por exemplo quando espera a morte de Luís Garcia. Para contrapeso da grosseria caricata de Procópio Dias, que "conspurcava [a amada] em imaginação",[161] Machado encontra um traço mais contundente para os apetites conjugais de Jorge. Este fora visitar a sua antiga prometida Eulália, que agora estava casada. "Eulália mostrou-lhe o filho, criança que valia por duas, tão gorda e vigorosa era. Jorge chegou a pegar nele, mas não sabia haver-se com as rendas, os babados, as fitas. Eulália que possuía já toda a destreza materna, tomou-lho das mãos. — O senhor não entende disto, disse ela. E depois de consertar a touca da criança, beijou-a muitas vezes, riu-se para ela, fez-lhe um monólogo, tudo com uma graça e poesia, que Jorge estava longe de lhe supor, cinco anos antes. Ele contemplava essa jovem mãe, elegante e natural, e sentia-se tomado de inveja e cobiça."[162] O nivelamento completa-se na página final, quando Iaiá e Jorge já haviam achado "no casamento a felicidade sem contraste".[163] Em sociedade encontram Procópio Dias, o mesmo que outrora lhes havia feito

---

[159] *Idem*, p. 360.

[160] *Idem, ibidem.*

[161] *Idem*, p. 362.

[162] *Idem*, p. 341.

[163] *Idem*, p. 407.

todas as infâmias. No último sarau, o vilão "jogou o voltarete com Jorge e acompanhou a mulher até a carruagem, não sem lançar um olhar furtivo ao estribo, onde Iaiá pousou o pé, cansado de valsar".[164] O *happy end* é o "naufrágio das ilusões"[165] a que se refere a frase final: o decoro familiar do paternalismo era falso, a sua oposição à corrupção mundana e ao mundo do dinheiro também, e a cooptação não é um processo limpo. Uma evolução episódica, pois passa ao largo da construção ideológica e formal do livro, e que no entanto ocupa a sua última página, o que a transforma em conclusão e imagem do movimento real da sociedade.

O caminho de Estela entretanto parece apontar em direção de uma saída diferente e heroica: o trabalho assalariado. Perto do fim, a morte de Luís Garcia traz a reorganização das relações de família. Depois de anos de luta em sentido contrário, a moça vê-se na posição de sogra e dependente de seu amado, e de rival infeliz de sua enteada. Resolve partir para o norte de São Paulo onde será professora. Sem alusões ao passado, as suas cartas são escritas "no mais puro estilo familiar",[166] expressão que no contexto é sarcástica, e assinala a liberdade que finalmente ela encontrou. Ao despedir-se do pai, a questão aparece explicitamente, quando ela o exorta a deixar a vida de servilidade em que vivera até então.[167] Assim, o trabalho aparece como ruptura com o paternalismo, e como solução. Entretanto, é preciso qualificar: Luís Garcia, que é funcionário público, nem por isto escapa às malhas do paternalismo. E a própria partida de Estela aparece estritamente como solução de seu problema de dignidade, e está dentro por-

---

[164] *Idem, ibidem.*
[165] *Idem, ibidem.*
[166] *Idem, ibidem.*
[167] *Idem*, p. 406.

tanto do horizonte paternalista. Sem contar que a palavra salário não aparece: retomando as expressões do romance, Estela irá dirigir um estabelecimento de ensino que uma condiscípula fundara. Livra-se da dependência familiar, entra para o universo das ocupações dignas, porém o trabalho pago não se menciona. A parte do preconceito é evidente, mas há também o sentimento legítimo de que o trabalho assalariado é uma instituição inaceitável. Esta mesma ambiguidade, que no fim de contas é do livro inteiro, repercute fortemente em sua frase final. No primeiro aniversário da morte de Luís Garcia, Iaiá e Jorge vão ao cemitério depositar uma coroa de saudades. "Outra coroa havia sido posta, com uma fita em que se liam estas palavras: — *A meu marido*. Iaiá beijou com ardor a singela dedicatória, como beijaria a madrasta, se lhe aparecesse naquele instante. Era sincera a piedade da viúva. Alguma coisa escapa ao naufrágio das ilusões."[168] O leitor, irremediavelmente liberal, e influenciado pelas decisões difíceis e valorosas que Estela acaba de tomar, pensa que se alguma coisa escapa ao naufrágio das ilusões, é porque ela teve a força de resistir e romper. Engano. Lendo melhor, verá que o paternalismo prevalece ainda uma vez, e que o comportamento de Estela dá razões à esperança porque é — *piedoso*.[169]

---

[168] *Idem*, p. 407.

[169] Em vários pontos, Estela é comparável a Caroline de St. Geneix, a personagem principal do *Marquis de Villemer* (1861), de G. Sand (Bordeaux, Delmas, 1948). Pujol sustenta que há influência, questão para a qual me faltam as leituras necessárias, pois com variações esse tipo de personagem deve existir às dezenas no romance secundário da época. Mas é fato que a semelhança existe, e que a comparação pode ser sugestiva. Obrigadas pela pobreza, as duas moças fazem companhia a viúvas abastadas e caprichosas. Causam impressão no herdeiro da família, mas escondem o sentimento que este lhes inspira, pois são orgulhosas. Como Estela, Carolina "suporta sem queixas as necessidades de sua situação" (p. 21), e também

Outra é a evolução de Antunes. Quando perde a última esperança de casar a filha a Jorge, passa a dedicar-se às ilusões públicas. Frequenta a Câmara dos Deputados, as sessões do júri, joga na loteria, conversa na praça, e volta a ser comensal assíduo na casa de Jorge, como o fora na casa do Desembargador seu pai. Uma descrição que Machado queria arrasadora, mas que hoje não parece tão antipática, sobretudo porque a dignidade que Machado lhe opunha, como o positivo ao negativo, não convence. A ideologia de Estela e Luís Garcia, que é também a do livro, é civili-

---

como ela se veste com austeridade, como convém à sua pouca fortuna, o que no entanto lhe aumenta a beleza, e não é sinal de ascetismo. Em suas palavras, que são as mesmas de Estela, "Não tenho sonhos de amor, não sou romanesca" (p. 22), expressão em que se sublinha o traço mais romanesco das duas: aceitam a diferença social, mas não lhe sacrificam o coração, o que paradoxalmente se traduz pela renúncia ao amor. Assim, no plano muito abstrato em que é possível a transposição de situações europeias para o Brasil (sustentado, no caso, pela aparente generalidade das relações familiares), a semelhança dos esquemas e da têmpera psicológica é um fato. Entretanto, o elenco local não deixa que a equivalência vá longe, e obriga à reorientação dos conflitos: em lugar da ilustre marquesa a viúva do Desembargador; em lugar de Villemer, ocupado em demonstrar historicamente que os títulos aristocráticos eram usurpação, um bacharel. Em lugar da moça pobre, mas assalariada e segura de seu direito, uma agregada sempre na defensiva. Em lugar da oposição entre autenticidade e dinheiro, a oposição entre arbítrio paternalista e dignidade pessoal. Genericamente, em lugar da idealização dos conflitos saídos da Revolução Francesa, a tentativa de criticar e racionalizar as relações entre dependentes e os seus ricos protetores (crítica por sua vez que não é independente da Revolução Francesa, mas cujo chão social é outro). E enfim, em lugar do romance romântico, um romance da frustração. Para semelhanças e diferenças, veja-se a carta em que Carolina conta à irmã a sua nova vida, em casa da marquesa: "Quanto a mim, bem sabes quanto desprezo o dinheiro! As nossas infelicidades não me mudaram, porque não chamo dinheiro a essa coisa sagrada, o ordenado que ganho altivamente e mesmo com um pouco de orgulho neste momento.

zatória antes que crítica. Em consequência, os caracteres negativos encarnam os aspectos que ela quer suprimir, e é fatal que sejam eles os mais verdadeiros. Assim, é nas alianças maquiavélicas e nos discursos cínicos de Procópio Dias que se encontra o melhor comentário do comportamento respeitável de Jorge. Idem para a subordinação sem nenhum caráter de Antunes, que parece mais verdadeira que a laboriosa subordinação disfarçada de Luís Garcia. São estas as personagens que, de fato, anunciam o romance da segunda fase. Em *Iaiá* no entanto aparecem como exorbitâncias caricatas, que não se levam a sério. Digamos que Machado tentara analisar o arbitrário paternalista na perspectiva dos dependentes, a fim de livrá-los dele, o que o levara a excluí-lo do bom-tom. Mais tarde, pelo contrário, ele o assumiria inteiramente, como faz aqui o agregado Antunes, para lhe acompanhar e estudar o movimento, e trazê-lo ao primeiro plano, em lugar de o ocultar. É claro que esta nova posição é compreensível somente se o arbitrário não for sentido como humilhação. De fato, Machado completava a sua ascensão social. Em seus romances maduros o arbitrário será encarado com a intimidade humorística de quem se confessa praticante, e já não tem o que temer. O ponto de vista passou a ser o de cima.

Isto é o dever, a garantia da honra. O próprio luxo, quando é continuação ou recompensa duma vida elevada, não me inspira esse desdém filosófico que encobre sempre alguma inveja; mas a opulência cobiçada, procurada, desejada e comprada a todo preço por casamentos ambiciosos, por evoluções da consciência política, por intrigas de família em torno de heranças, eis o que toma, com razão, o vil nome de dinheiro, e neste ponto, sou bem da opinião da marquesa, que não perdoa casamentos desiguais, feitos por interesse, bem como as demais baixezas, privadas e públicas" (p. 34).

Índice onomástico

Adorno, Theodor W., 46, 94, 200
Agostini, Angelo, 22
Alencar, José de, 11, 37-47, 50, 53, 60-4, 67-73, 76-7, 79, 83, 86, 90, 93-4, 149
Alencastro, Luiz Felipe de, 15
Almeida Prado, Décio de, 147
Althusser, Louis, 46, 51
Alvim, Clara, 76
Andrade, Mário de, 25, 62
Andrade, Oswald de, 29, 68, 87-8
Auerbach, Erich, 203
Augier, E. G. V., 91
Balzac, Honoré de, 37, 43, 45, 48-9, 62-3, 67, 157-8, 175
Barreto Filho, 143
Baudelaire, Charles, 218
Beckett, Samuel, 200
Beiguelman, Paula, 28
Benjamin, Walter, 49, 59, 175
Bilac, Olavo, 87
Bourget, Paul, 75
Brecht, Bertolt, 207
Byron, Lord, 37

Cabral de Melo Neto, João, 195
Caetano, João, 147
Candido, Antonio, 29, 37, 40, 62, 77-9, 195
Cardoso, Fernando Henrique, 14
Castello, J. A., 83
Cervantes, Miguel de, 164
Chateaubriand, François-René de, 37
Coelho Neto, H. M., 87
Cooper, James Fenimore, 37
Coutinho, Afrânio, 11, 39
D'Albuquerque Mello, Affonso, 192
Dean, Warren, 46
Dostoiévski, Fiódor, 28, 218
Dumas, Alexandre, 37
Dumas Filho, Alexandre, 75-6, 91
Eça de Queirós, J. M., 222
Eulalio, Alexandre, 67
Fausto, Boris, 163
Feuillet, Octave, 75-6, 158
Foucault, Michel, 46
Franco, Maria Sylvia de Carvalho, 16, 119, 133
Freud, Sigmund, 91, 195

Freyre, Gilberto, 71
Furtado, Celso, 25, 106-7
Gershman, Herbert S., 76
Giannotti, José Arthur, 162
Gógol, Nikolai, 28
Goldmann, Lucien, 55, 93
Gonçalves Dias, 149
Gontcharov, Ivan A., 28
Graça Aranha, 173
Guimarães Jr., Luís, 173
Guimarães Rosa, 127, 195
Guthenberg, J., 22
Habermas, Jürgen, 90
Holanda, Sérgio Buarque de, 12-3
Hölderlin, Friedrich, 61
Hugo, Victor, 37
James, Henry, 35-6
Kant, Immanuel, 17
Lamartine, Alphonse de, 37
Lobo, Aristides, 158
Lukács, Georg, 21, 48, 53, 55, 62, 155-6, 158, 201, 203, 210
Maquiavel, Nicolau, 55
Marx, Karl, 55, 162, 164
Massa, Jean-Michel, 24, 84, 91
Matthiessen, Francis Otto, 36
Mazade, Charles de, 86
Medeiros e Albuquerque, J. J., 24
Merquior, José Guilherme, 147
Meyer, Marlyse, 35
Miguel-Pereira, Lúcia, 83, 143
Murdock, Kenneth B., 36

Nabuco, Joaquim, 11-2, 39-40, 173
Nietzsche, Friedrich, 195
Pereira Barreto, 28
Ponsart, François, 91
Prado Jr., Bento, 195
Proust, Marcel, 49, 195, 218
Pujol, Alfredo, 157, 229
Queiroz, Maria Isaura Pereira de, 163
Rego, José Lins do, 128
Reis Filho, Nestor Goulart, 23
Rodrigues, Nelson, 68
Romero, Sílvio, 24, 223
Rosenfeld, Anatol, 207
Sand, Georges, 157, 229
Sandeau, Jules, 91
Sartre, Jean-Paul, 49, 91
Scott, Walter, 37
Smith, Adam, 14
Stendhal, 157
Sterne, Laurence, 203
Sue, Eugène (Marie-Joseph Sue), 37
Szondi, Peter, 90
Tchekhov, Anton, 28
Torres Bandeira, A. R. de, 11
Trevisan, Dalton, 68
Val Jr., T. E. du, 86
Veloso, Caetano, 46
Vigny, Alfred de, 37
Villar, Pierre, 164
Viotti da Costa, Emília, 12-3, 24
Weber, Max, 56
Whitworth Jr., Kernan B., 76

Sobre o autor

Roberto Schwarz nasceu em 20 de agosto de 1938, em Viena, na Áustria. Veio para o Brasil aos quatro meses de idade. Em 1960, formou-se em ciências sociais pela Universidade de São Paulo. Três anos mais tarde tornou-se mestre em Teoria Literária e Literatura Comparada pela Universidade de Yale, EUA. Doutorou-se pela Universidade de Paris III, em Estudos Latino-Americanos (Estudos Brasileiros), em 1976. Foi professor de Teoria Literária e Literatura Comparada na USP entre 1963 e 1968, e professor de Teoria Literária na Universidade Estadual de Campinas entre 1978 e 1992. Publicou:

CRÍTICA

A sereia e o desconfiado: ensaios críticos. Rio de Janeiro: Civilização Brasileira, 1965; 2ª edição, Rio de Janeiro: Paz e Terra, 1981.

Ao vencedor as batatas: forma literária e processo social nos inícios do romance brasileiro. São Paulo: Duas Cidades, 1977; 5ª edição, São Paulo: Duas Cidades/Editora 34, 2000; 6ª edição, 2012.

O pai de família e outros estudos. Rio de Janeiro: Paz e Terra, 1978; 2ª edição, 1992; 3ª edição, São Paulo: Companhia das Letras, 2008.

Os pobres na literatura brasileira (organização). São Paulo: Brasiliense, 1983.

Que horas são? (ensaios). São Paulo: Companhia das Letras, 1987; 2ª edição, 1989; 3ª edição, 2008.

Um mestre na periferia do capitalismo: Machado de Assis. São Paulo: Duas Cidades, 1990; 4ª edição, São Paulo: Duas Cidades/Editora 34, 2000; 5ª edição, 2012.

Misplaced Ideas: Essays on Brazilian Culture. Londres: Verso, 1992.

Duas meninas. São Paulo: Companhia das Letras, 1997; 2ª edição, 2006.

Sequências brasileiras: ensaios. São Paulo: Companhia das Letras, 1999.

Cultura e política (antologia). São Paulo: Paz e Terra, 2001.

A Master on the Periphery of Capitalism: Machado de Assis. Durham: Duke University Press, 2001.

Martinha versus Lucrécia: ensaios e entrevistas. São Paulo: Companhia das Letras, 2012.

Two Girls and Other Essays. Londres: Verso, 2013.

As ideias fora do lugar (antologia). São Paulo: Penguin Companhia, 2014.

To the Victor, the Potatoes! Leiden: Brill, 2019 (Historical Materialism Book Series, vol. 206).

Seja como for: entrevistas, retratos e documentos. São Paulo: Duas Cidades/Editora 34, 2019.

Essencial Roberto Schwarz (antologia). São Paulo: Penguin Companhia, 2023.

Criação

Pássaro na gaveta. São Paulo: Massao Ohno, 1959 (poesia).

Corações veteranos. Rio de Janeiro: Coleção Frenesi, 1974 (poesia).

A lata de lixo da história. Rio de Janeiro: Paz e Terra, 1977 (teatro); 2ª edição, São Paulo: Companhia das Letras, 2014.

Rainha Lira. São Paulo: Editora 34, 2022 (teatro).

Tradução

Males da juventude, de Ferdinand Bruckner. Encenado pelo Teatro Jovem, São Paulo: 1961.

Cartas sobre a educação estética da humanidade, de Friedrich Schiller (introdução e notas de Anatol Rosenfeld). São Paulo: Herder, 1963; 3ª edição, *A educação estética do homem* (introdução, notas e cotradução de Márcio Suzuki). São Paulo: Iluminuras, 1995.

"A ideologia em geral", de Karl Marx, e "Indivíduo e díade", de Georg Simmel, em *Homem e sociedade* (organização de Fernando Henrique Cardoso e Octavio Ianni). São Paulo: Companhia Editora Nacional, 1966.

A vida de Galileu, de Bertolt Brecht. Encenado pelo Teatro Oficina, São Paulo: 1968; São Paulo: Abril, 1977, Coleção Teatro Vivo.

A exceção e a regra, de Bertolt Brecht. Encenado pelo TUSP, São Paulo, 1968.

"Ideias para a sociologia da música", de Theodor W. Adorno, *Teoria e prática*, nº 3, 1968.

"Sobre Hegel, imperialismo e estagnação estrutural", de Albert O. Hirschman, *Almanaque*, nº 9, São Paulo, Brasiliense, 1979.

"A moralidade e as ciências sociais", de Albert O. Hirschman, *Novos Estudos CEBRAP*, vol. I, nº 1, São Paulo, dezembro de 1981.

"Duas crônicas norte-americanas", de Ariel Dorfman, *Novos Estudos CEBRAP*, vol. I, nº 3, São Paulo, junho de 1982.

A Santa Joana dos Matadouros, de Bertolt Brecht, *Novos Estudos CEBRAP*, nº 4, São Paulo, 1982 (fragmento). Republicado em *Que horas são?*, *op. cit.*; no *Teatro completo* de Bertolt Brecht, vol. IV, São Paulo: Paz e Terra, 1990 (na íntegra); na Coleção Leitura, São Paulo: Paz e Terra, 1996; e na Coleção Prosa do Mundo, São Paulo: Cosac Naify, 2001.

Sobre a obra de Roberto Schwarz

Sérvulo Augusto Figueira, "Machado de Assis, Roberto Schwarz: psicanalistas brasileiros?", em *Nos bastidores da psicanálise*. Rio de Janeiro: Imago, 1991.

Leandro Konder, "Roberto Schwarz", em *Intelectuais brasileiros e marxismo*. Belo Horizonte: Oficina de Livros, 1991.

Paulo Eduardo Arantes, *Sentimento da dialética na experiência intelectual brasileira: dialética e dualidade segundo Antonio Candido e Roberto Schwarz*. São Paulo: Paz e Terra, 1992.

John Gledson, "Roberto Schwarz: Um mestre na periferia do capitalismo", em *Por um novo Machado de Assis*. São Paulo: Companhia das Letras, 2006.

Um crítico na periferia do capitalismo: reflexões sobre a obra de Roberto Schwarz. Organização de Maria Elisa Cevasco e Milton Ohata. São Paulo: Companhia das Letras, 2007.

Nicholas Brown, "Roberto Schwarz: Mimesis beyond Realism", em Beverley Best, Werner Bonefeld e Chris O'Kane (orgs.), *The Sage Handbook of Frankfurt School Critical Theory*, 3 vols. Los Angeles: Sage, 2018.

Candido, Schwarz & Alvim: a crítica literária dialética no Brasil. Organização de Edvaldo A. Bergamo e Juan Pedro Rojas. São Paulo: Intermeios, 2019.

COLEÇÃO ESPÍRITO CRÍTICO
direção de Augusto Massi

Roberto Schwarz
Ao vencedor as batatas

João Luiz Lafetá
1930: a crítica e o Modernismo

Davi Arrigucci Jr.
O cacto e as ruínas

Roberto Schwarz
Um mestre na periferia do capitalismo

Georg Lukács
A teoria do romance

Antonio Candido
Os parceiros do Rio Bonito

Walter Benjamin
*Reflexões sobre a criança,
o brinquedo e a educação*

Vinicius Dantas
Bibliografia de Antonio Candido

Antonio Candido
Textos de intervenção

Alfredo Bosi
Céu, inferno

Gilda de Mello e Souza
O tupi e o alaúde

Theodor W. Adorno
Notas de literatura I

Willi Bolle
grandesertão.br

João Luiz Lafetá
A dimensão da noite

Gilda de Mello e Souza
A ideia e o figurado

Erich Auerbach
Ensaios de literatura ocidental

Walter Benjamin
*Ensaios reunidos:
escritos sobre Goethe*

Gilda de Mello e Souza
Exercícios de leitura

José Antonio Pasta
Trabalho de Brecht

Walter Benjamin
Escritos sobre mito e linguagem

Ismail Xavier
Sertão mar

Roberto Schwarz
Seja como for

Erich Auerbach
A novela no início do Renascimento

Paulo Eduardo Arantes
Formação e desconstrução

Erich Auerbach
Dante como poeta do mundo terreno

Walter Benjamin
Rua de mão única

Vicente Valero
Experiência e pobreza

Erich Auerbach
Figura

Este livro foi composto
em Adobe Garamond pela
Bracher & Malta,
com CTP da New Print
e impressão da Graphium
em papel Pólen Natural
80 g/m² da Cia. Suzano de
Papel e Celulose para a
Duas Cidades/Editora 34,
em agosto de 2024.